# フライパン1本でできるお手軽フレンチ

三つ星シェフ　ダニエル・マルタンの料理法

# なぜ、今  フライパン を手にとるのか？

私が東京のマキシムに来てから、すでに20年が経ちました。この20年のあいだ、日本のフランス料理を見続けてきた料理人として、心の中で常に渦巻いている感情があります。それは「日本のフランス料理は高級すぎる！」という思いです。スーツ、ネクタイ、ドレスアップ……。日本でフランス料理を食べるときは、そのような堅苦しいイメージがありませんか？しかし、実際のフランス料理はもっと「カジュアル」です。ホテルで食べる高級なフランス料理だけが普及していますが、手ごろな食材で簡単に家庭で食べられる、それこそがフランス料理の真髄だと私は思っています。それを日本のみなさんにもっともっと知ってもらいたい、そんな20年間抱き続けた「願い」を、本という形でまとめてみました。

キャビア、フォアグラ、トリュフなどの食材を使えば「おいしい料理」は誰だって作れます。しかしそうではなく、スーパーにある家庭用の肉と野菜を使って本当に「おいしい料理」を作ることができる、それが大切！　フランス料理は、「フライパン1本」さえあればおいしく作ることができる可能性を秘めている、とても「お手軽」な料理なのです。もちろんフランス料理の特徴的な優雅さ、見た目のきれいさは失わず、フライパン1本で作れます。オードブルからメイン料理、そしてデザートまで、コースの流れに沿ってレシピをご用意しました。

「わかりやすさ」にもこだわって、プロセスのポイントにはすべて写真を掲載しておきました。料理に大切なのはレシピに忠実に作ることではなく、タイミングを間違えずに材料を加えていくということです。写真の色みを見ていただければ、そのタイミングがわかるでしょう。料理好きの人はもちろんのこと、フランス料理に初めて挑戦する人でも楽しく作れる内容になりました。

この本を手にとっていただいたあなたが、フランス料理の「お気軽感」を体験し、もっと家庭でフランス料理を食べる……その姿を思い浮かべるだけで、私は一人の料理人として心からしあわせを感じます。

目次

最初に見ておきたい基本的なレシピ 6

## 「一品」がきわ立つオードブル 8
### Hors d'œuvre

## 「食感」を楽しむ肉料理 34
### Viande

フランス料理の前菜は"軽く"ない！ 10

Laitance de morue à la Grenobloise
たらの白子 グルノーブル風 12

Salade de filet de volaille aux graines de sésame
鶏肉のフィレサラダ ごま風味 14

Omelette froide à la Niçoise
オムレツの冷製 ニース風 16

Salade de coquille Saint-Jacques au curry
ほたてのサラダ カレー風味 18

Salade d'isaki aux shiitakes
いさきのサラダ しいたけ添え 20

Omelette plate à la paysanne
田舎風フラット・オムレツ 22

Galette de pommes de terre au saumon fumé
じゃがいものガレット スモークサーモン添え 24

Œufs brouillés aux oursins
スクランブルエッグ うに風味 26

Salade de coquille Saint-Jacques à la poutargue
ほたてのサラダ からすみ風味 28

Meunière d'asperges au jambon amandine
アスパラガスのムニエル 生ハムとアーモンド添え 30

Salade d'aileron de volaille aux pointes d'asperges
鶏の手羽先サラダ アスパラガスの穂先添え 32

ステーキは「かたい」のがお約束!? 36

Piccata de volaille cordon bleu
鶏肉のピカタ コルドン・ブルー 38

Emincé de porc courgettes au cumin
豚肉の薄切りズッキーニ添え カレー風味 40

Nems de bœuf croustillantes
カリカリのビーフ・ネム（ベトナム風春巻き）42

Boulettes de bœuf à la tomate
牛肉のミートボール トマト風味 44

Médaillons de porc aux rainkons
豚肉のメダイヨン れんこん添え 46

Porc au gingembre miel et sésame
フランス風豚肉のしょうが焼き
はちみつとごま風味 48

Viénnoise de porc aux amandes
豚肉のビエノワーズ アーモンド風味 50

Galette de jambon aux pommes
ハムのガレット じゃがいも添え 52

Filets de volaille aux champignons
鶏肉のフィレ きのこ添え 54

Shiitakes farcis
しいたけのファルシー 56

「盛りつけ」で魅せる魚料理 58

Poisson

日本は世界一の魚の宝庫! 60

Amtiboise de rouget
いとよりのアンティーブ風 62

Ormeaux à la vapeur d'algues,
salade de radis à l'huile de sésame
あわびの海藻包み蒸し 大根のサラダごま風味 64

Pavé de morue au curry
たらのパベ カレー風味 66

Escargot de mer sauté aux
amandes éligui et pousse de bambou
つぶ貝のソテー アーモンドとたけのこ添え 68

Hachis de Chinchard au gingembre et basilic en friture
あじのフリチュール しょうがとしそ風味 70

Minute d'espadon au thon
かじきのミニッツステーキ ツナソース 72

Minute de poisson aux agrumes
白身魚のミニッツステーキ ゆず風味 74

Dorade poêlée au gingembre
鯛のポワレ しょうが風味 76

Tournedos de saumon à la moutarde
サーモンのトルネードステーキ マスタード風味 78

Coquilles Saint-Jacques aux shiitakes
ほたてのしいたけ添え 80

Chinchards à la tomate
あじのトマト風味 82

「お手軽感No.1」のデザート 84

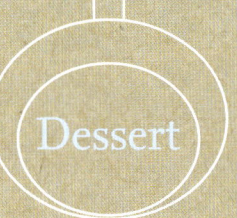

Dessert

「舌」がよろこぶデザートの食べ方 86

Cerise à la royale
さくらんぼのロワイヤル風 88

Tarte chaude aux figues
いちじくの温かいタルト 90

Omelette frambée aux bananes
バナナのオムレット 92

Pancake aux pommes
りんごのパンケーキ 94

Crêpe Suzette
クレープ・シュゼット 96

Poêlée de fraises au vinaigre balsamique
いちごのポワレ バルサミコ酢風味 98

Ananas poêlé au gingembre
パイナップルのポワレ しょうが風味 100

Pain perdu à la cannelle au sirop d'érable
シナモンとメープルシロップのフレンチトースト 102

用語説明 105
使用した道具 106
あとがき 107

【この本での約束ごと】
・この本で使用している大さじ1は15ml、
　小さじ1は5mlです。
・レシピの材料は2人分を、完成写真は
　1人分を目安にしています。
・レシピ中に登場する塩・こしょうは
　「マジックソルト」(P.106参照)各種を使用しています。

最初に見ておきたい基本的なレシピ

### 基本的なビネグレットの作り方

塩、こしょう、ビネガー、オリーブオイルを順に合わせる。塩、こしょうはオリーブオイルにとけないので、必ず最初にビネガーと混ぜる。分量はビネガー：オリーブオイル＝1：3になるようにする。

### にんにくのみじん切り

多めに作って保存する場合、にんにくのみじん切りはサラダオイルかオリーブオイルに浸して冷蔵庫で冷ましておく。そうすることによって色みと香りが失われない。

### トマトの湯むき

沸騰させたお湯の中にトマトを5秒ほどつける。皮が破けたのを確認したら取り出し、手で皮をむく。

### じゃがいものフリット

1 じゃがいもをくし形に切る。
2 1を冷水にとり、デンプン質を洗い流してから水気をきる。
3 高温(180度)に熱した揚げ油で2を3〜4分揚げ、焼き色を確認しながらフライパンから取り出す。

「一品」がきわ立つオードブル

# Hors d'œuvre

手軽な料理だからこそ、丁寧に作りたい最初の料理

フランス料理の前菜は"軽く"ない！

みなさん、コース料理のオードブルと言えば、どういうものを思い浮かべますか？「ちょっとしたサラダ」と答える人が多いのではないでしょうか。

しかし、フランス料理のイメージはかなり違います。「一口サイズ」で数品食べるイメージは日本の食文化に根差したものなのです。もちろんオードブルは前菜なので「サラダ」には変わりありませんが、フランスではオードブルも主役の一つ。私はオードブルに魚を一匹まるごと添えることもあれば、今回の「鶏肉のフィレサラダ」のように肉をふんだんに使うことも珍しくはありません。もちろん、これがフランスでは当たり前のことなのです。

オードブル一品、メイン一品、そしてデザート。

これがフランスの一般的なスタイル。だからこそオードブルはメインとの「相性」を大切にしてあげましょう。オードブルにシーフードを使えばメイン料理も魚で合わせる、逆にメインを味つけの濃い肉料理にするならオードブルは野菜を多く用いたレシピを選ぶのがいいかもしれませんね。

今回のレシピでは肉、魚、卵など野菜に合うものをたくさんご用意いたしましたが、オードブルは別の食材でも応用できるところが特徴の一つです。お好みで野菜を増やしたり、季節の食材を取り入れたりして、ボリュームたっぷりのオードブルを楽しんでみてください！

# Laitance de morue à la Grenobloise
## たらの白子 グルノーブル風

les ingrédients pour 2 personnes

たらの白子　150g
塩(ゆでる用)　少量
白ワインビネガー　小さじ1
小麦粉　大さじ1
パセリのみじん切り　適量
塩・こしょう　各適量

[ソース]
ベーコン　2枚
ブラックオリーブ　4個
レモン　1個
ケッパー　小さじ1
レモンの絞り汁　1個分
バター　40g
フォンドボー　60ml

[クルトン]
食パン　1枚
バター　10g
サラダオイル　大さじ1

recette 1

フライパンに白子を入れ、ひたひたに水を入れる。塩と白ワインビネガーを加えて5分ほど弱火でゆで、キッチンペーパーで水気をとっておく。

recette 2

熱したフライパンにクルトン用のバターとサラダオイルを入れ、1cm角に切った食パンを炒める。

recette 3

1の白子に塩、こしょうで下味をつけ、小麦粉をまぶして弱火でムニエルにし、取り出しておく。

recette 4

角切りにしたベーコン、小さく切ったブラックオリーブを色づくように炒める。角切りにしたレモン、ケッパーを加えて混ぜ合わせたら、バターを入れてさらに炒める。

recette 5

レモンの絞り汁とフォンドボーを加えてできあがったソースに、2のクルトンを加える。

recette 6
仕上げ
3を皿に盛りつけ、5のソースをかける。その上にパセリをふりかける。

# Salade de filet de volaille aux graines de sésame
## 鶏肉のフィレサラダ ごま風味

les ingrédients pour 2 personnes

鶏ささみ　4本
アスパラガス　3本
塩（ゆでる用）　少量
レタスの葉　2枚
白ごま・黒ごま　各大さじ½
ごま油　大さじ2
プチトマト　2個
塩・こしょう　各適量

［ビネグレット］
赤ワインビネガー　大さじ1
ごま油　大さじ3
マスタード　小さじ1
塩・こしょう　各適量

recette 1

塩、こしょう、赤ワインビネガー、ごま油、マスタードを合わせてビネグレットを作る。

recette 2

アスパラガスの皮をピーラーでむいてから、塩を入れた熱湯で4〜5分ゆで、氷水にとって冷ます。

recette 3

2を上下に切り分け、穂先は筋にそって半分にし、かたい根本のほうは1cm角くらいに刻んでからビネグレット少々で味つけする。レタスは洗って水気をきり、ビネグレット少々をかけて皿に敷く。

recette 4

鶏ささみに塩、こしょうで下味をつけて、ごまをまぶしておく。

recette 5

テフロン加工のフライパンにごま油をひき、4の鶏ささみを入れ、途中で裏返しながら、弱火で6〜7分焼く。

recette 6
仕上げ
レタスを皿に敷き、その上に一口大に切った5をのせる。アスパラガス、4つに切ったプチトマトを添え、残りのビネグレットを全体にかける。

# Omelette froide à la Niçoise

## オムレツの冷製 ニース風

les ingrédients pour 2 personnes

卵　4個
赤ピーマンの角切り　¼個分
玉ねぎのみじん切り　¼個分
枝豆　60g
万能ねぎの小口切り　大さじ1
パルメザンチーズ　大さじ3
トマト　大2個
バター　30g(10g + 10g + 10g)

［付け合わせ］
三つ葉　½把
オリーブオイル　大さじ2
煮つめたバルサミコ酢　適量

recette 1

赤ピーマンは5mm角、玉ねぎはみじん切り、万能ねぎは小口切り、トマトはくし形に切って種を取っておく。枝豆はゆでてさやから取り出し、うす皮をむいておく。

recette 2

卵を割りほぐして、トマトを除いた1とパルメザンチーズを混ぜ合わせる。

recette 3

卵焼き器(四角いフライパン)にバター10gと2の3分の1を入れてオムレツを作り、固まってきたら1辺が8cm程度のセルクル(四角い型)で2枚抜き取る。それぞれの上にトマトを敷きつめる。

recette 4

同様にオムレツをあと2枚作り、3の上にさらにオムレツ、トマト、オムレツの順に重ねる。

recette 5

4を冷蔵庫で冷ましてから三角形に切り分ける。

recette 6

仕上げ
5のオムレツを皿の中央に置き、煮つめたバルサミコ酢をかける。洗って水気をきった三つ葉をオムレツの上に盛りつけ、オリーブオイルを全体にかける。

# Salade de coquille Saint-Jacques au curry
## ほたてのサラダ カレー風味

les ingrédients pour 2 personnes

 ほたて　4個
 エリンギ　1本
 もやし　100g
 塩(ゆでる用)　少量
 オリーブオイル　65ml(50ml + 15ml)
 カレー粉　大さじ½
 小麦粉　大さじ½
 水菜　1把
 トマトの角切り　¼個分
 塩・こしょう　各適量

［ビネグレット］
 ライムの絞り汁　½個分
 オリーブオイル　100ml
 塩・こしょう　各適量

recette 1

塩を入れた熱湯で、角切りにしたエリンギ、もやしをゆでる。

recette 2

ゆであがったら流水で冷まし、ボウルにとって塩、こしょう、オリーブオイル50mlを加えてよく混ぜておく。

recette 3

ほたてに塩、こしょうで味つけし、カレー粉と小麦粉を混ぜ合わせたものをまぶす。

recette 4

フライパンにオリーブオイル15mlを入れ、3を弱火のまま色づくまで炒める。

recette 5

焼いたほたてを2つにスライスして皿のまわりに盛りつける。

recette 6
仕上げ
塩、こしょう、ライムの絞り汁、オリーブオイルでビネグレットを作り、5cm長さに切った水菜にかけ、中央に盛りつける。水菜の上に2を置き、トマトを飾る。

# Salade d'isaki aux shiitakes
いさきのサラダ しいたけ添え

les ingrédients pour 2 personnes

いさき　1尾（または切り身　2切れ）
しいたけ　3個
玉ねぎのみじん切り　大さじ1
パセリのみじん切り　小さじ1
オリーブオイル　大さじ2

［ビネグレット］
赤ワインビネガー　大さじ1
オリーブオイル　大さじ3
塩・こしょう　各適量

［付け合わせ］
レタスの葉　2枚
ベビーリーフ　1つまみ

recette 1

塩、こしょう、赤ワインビネガー、オリーブオイルの順に合わせてビネグレットを作る。レタス、ベビーリーフは洗い、水気をきって皿に敷いておく。

recette 2

しいたけは軸を取り、大きめの乱切りにする。

recette 3

熱したフライパンにオリーブオイルを入れてしいたけを中火で炒めたら、玉ねぎ、パセリを加えてさらに炒める。1のビネグレットを約大さじ1加えて味つけし、取り出しておく。

recette 4

皮目を下にして、いさきの切り身を身が白くなるまで焼く。まずは中火で身を押さえるようにしてから、弱火にしてじっくりと。

recette 5

4のいさきに1のビネグレットを約大さじ1かけ、火が通ったらいさきを取り出す。

recette 6

仕上げ
いさきと3を、皿に敷いたレタス、ベビーリーフの上に盛りつける。ビネグレットの残り約大さじ2を全体にかける。

# Omelette plate à la paysanne
## 田舎風フラット・オムレツ

les ingrédients pour 2 personnes

卵　2個
じゃがいも　小1個
ブロック豚肉(ベーコン)　50g
玉ねぎのスライス　1/4個分
にんにくのみじん切り　2かけ分
パセリのみじん切り　小さじ1
サラダオイル　20ml
バター　20g
塩・こしょう　各適量

recette 1

皮をむいたじゃがいもを1cm角に切る。豚肉は5mm角に切っておく。

recette 2

熱したフライパンにバター、サラダオイルを入れ、豚肉、玉ねぎを入れて中火で炒める。火を弱火にしてじゃがいも、にんにく、パセリを加え、塩、こしょうで下味をつける。

recette 3

卵に塩、こしょうを加えて溶きほぐし、2に加える。3～4分弱火でフライパンをゆすりながらオムレツを作る。

recette 4

オムレツをひっくり返して、ヘラで押さえながら裏側も焼く。

recette 5
仕上げ
4を皿に盛りつける。(完成写真は2人分です)

point
★
「フランス風お好み焼き」として楽しむなら、ソースとマヨネーズをかけてもおいしいですよ。

# Galette de pommes de terre au saumon fumé
## じゃがいものガレット スモークサーモン添え

les ingrédients pour 2 personnes

スモークサーモンのスライス　4枚
じゃがいも　小2個
卵　1個
パルメザンチーズ　小さじ1
パセリのみじん切り　小さじ1
塩・こしょう　各適量
サラダオイル　大さじ2
バター　30g
いくら　小さじ2
オリーブオイル　少量

［ソース］
きゅうり　1本
プレーンヨーグルト　大さじ1
マヨネーズ　大さじ2
塩・こしょう　各適量

recette 1

粗めのグレーターでじゃがいもをおろす。

recette 2

1に卵、パルメザンチーズ、パセリを加えて混ぜ合わせ、塩、こしょうで下味をつける。

recette 3

テフロン加工のフライパンにサラダオイル、バターを入れ、小さいパンケーキを焼くような感じで、直径6〜7cmのセルクル2個に2を入れて弱火で焼く。

recette 4

焼き色がついたら3をひっくり返し、同様に焼く。

recette 5

きゅうりをおろしてキッチンペーパーで水気をとり、ヨーグルト（水分をとったもの）、マヨネーズ、塩、こしょうを合わせて混ぜ、ソースを作る。

recette 6
仕上げ
5のソースを皿に敷き、その上に焼けたガレットをのせ、さらにスモークサーモンをのせる。いくらにオリーブオイルを加えてから、スモークサーモンの上に飾る。

# Œufs brouillés aux oursins
## スクランブルエッグ うに風味

les ingrédients pour 2 personnes

卵　4個
生うに　30g（20g＋10g）
バター　30g（20g＋10g）
ほうれん草　½把
生クリーム　25ml
あさつきの小口切り　1つまみ
塩・こしょう　各適量

recette 1

ボウルに卵、塩、こしょう、生うに20g、バター20gを入れ、よくかき混ぜる。

recette 2

バター10gをフライパンにとかし、ほうれん草を軽く炒めて、取り出しておく。

recette 3

フライパンに湯をわかし、強火で湯煎にして1に火を通す。

recette 4

熱が伝わってきたところで、固まってしまわないようにしっかりと混ぜる。

recette 5

固まりかけてきたら生クリームを入れてすぐに火からおろし、さらにかき混ぜる。

recette 6
仕上げ
2のほうれん草を皿に敷き、5を上に盛りつける。上から残りの生うにを飾り、あさつきをふる。

# Salade de coquille Saint-Jacques à la poutargue

## ほたてのサラダ からすみ風味

les ingrédients pour 2 personnes

- ほたて　6個
- からすみの粉末　大さじ2
- オリーブオイル　大さじ1
- アンディーブ　6枚
- ベビーリーフ　1/2パック

［ソース］
- マヨネーズ　大さじ1
- 赤ワインビネガー　25ml
- オリーブオイル　60ml
- 塩・こしょう　各適量

recette 1

ほたてに、からすみの粉末大さじ約2/3をまぶしておく。

recette 2

塩、こしょう、マヨネーズ、赤ワインビネガー、オリーブオイル、残ったからすみの粉末を混ぜ、ミキサーにかけてソースを作る。

recette 3

熱したフライパンにオリーブオイルを入れて1を焼く。

recette 4
仕上げ
アンディーブ、ベビーリーフを切って皿の中央に盛りつけたら、まわりにほたてを置いてソースをかける。

# Meunière d'asperges au jambon amandine
## アスパラガスのムニエル 生ハムとアーモンド添え

les ingrédients pour 2 personnes

アスパラガス　6本
塩（ゆでる用）　少量
生ハム　6枚
バター　30g
サラダオイル　30ml
パセリのみじん切り　小さじ1

［ソース］
バター　30g
アーモンドのスライス　30g
レモンの絞り汁　1個分
フォンドボー　100ml
塩・こしょう　各適量

recette 1

穂先は残すようにしてアスパラガスの皮をピーラーでむく。

recette 2

1のアスパラガスを、塩を入れた熱湯で6〜7分ゆでる。

recette 3

ゆであがったアスパラガスを、氷水を入れたボウルにとってさっと冷ます。

recette 4

アスパラガスの水気をふきとり、生ハム1枚を斜めに巻く。

recette 5

サラダオイル、バターを入れたフライパンで4を強火で焼く。

recette 6

軽く火が通ったらバター、アーモンド、レモンの絞り汁、フォンドボー、塩、こしょうを加える。

recette 7
仕上げ
アスパラガスを取り出して皿に盛りつける。その上にフライパンの中のソースをかけ、仕上げにパセリをふる。

# Salade d'aileron de volaille aux pointes d'asperges
## 鶏の手羽先サラダ アスパラガスの穂先添え

les ingrédients pour 2 personnes

鶏の手羽先　4本
アスパラガス　4本
バター　30g
サラダオイル　20ml
白ワイン　50ml
フォンドボー　大さじ2
グラスドビアンド　小さじ1
塩・こしょう　各適量

［付け合わせ］
アンディーブ　4枚
ベビーリーフ　ひとつまみ
サラダ菜　2枚
パルメザンチーズ　大さじ1

［ビネグレット］
赤ワインビネガー　20ml
サラダオイル　60ml
塩・こしょう　各適量

recette 1
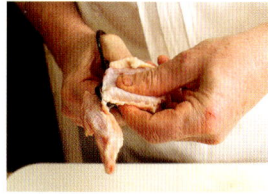
手羽先の関節部分を切っておく。塩、こしょう、赤ワインビネガー、サラダオイルを合わせてビネグレットを作っておく。

recette 2

手羽先の骨を抜き、骨があったところにアスパラガスの穂先1本を入れる。

recette 3

アスパラガスのかたい部分は2cm長さの小口切りにする。これと2を水からゆで、沸騰したら取り出して流水で冷ます。

recette 4

3の水気をとって塩、こしょうで下味をつける。バター、サラダオイルをフライパンに入れ、皮の脂がにじみ出てくるように、ふたをしたまま弱火で火を通す。

recette 5

全体的に焼き色がついてきたら白ワインをふり入れてデグラセし、火を止める。

recette 6
5にフォンドボーとグラスドビアンドを加え、軽く煮つめたら手羽先を取り出す。残ったソースを1のビネグレットに加えて混ぜる。

recette 7
仕上げ
アンディーブを皿に敷き、その上にベビーリーフ、サラダ菜、手羽先を盛りつける。6のビネグレットを上からかけ、仕上げにパルメザンチーズをサラダにふりかける。

point ✽
リゾットの上に盛りつけてもおいしいですよ。お試しください！

「食感」を楽しむ肉料理

# Viande

「繊細」から「大胆」まで、すべてを表現した主役の肉料理！

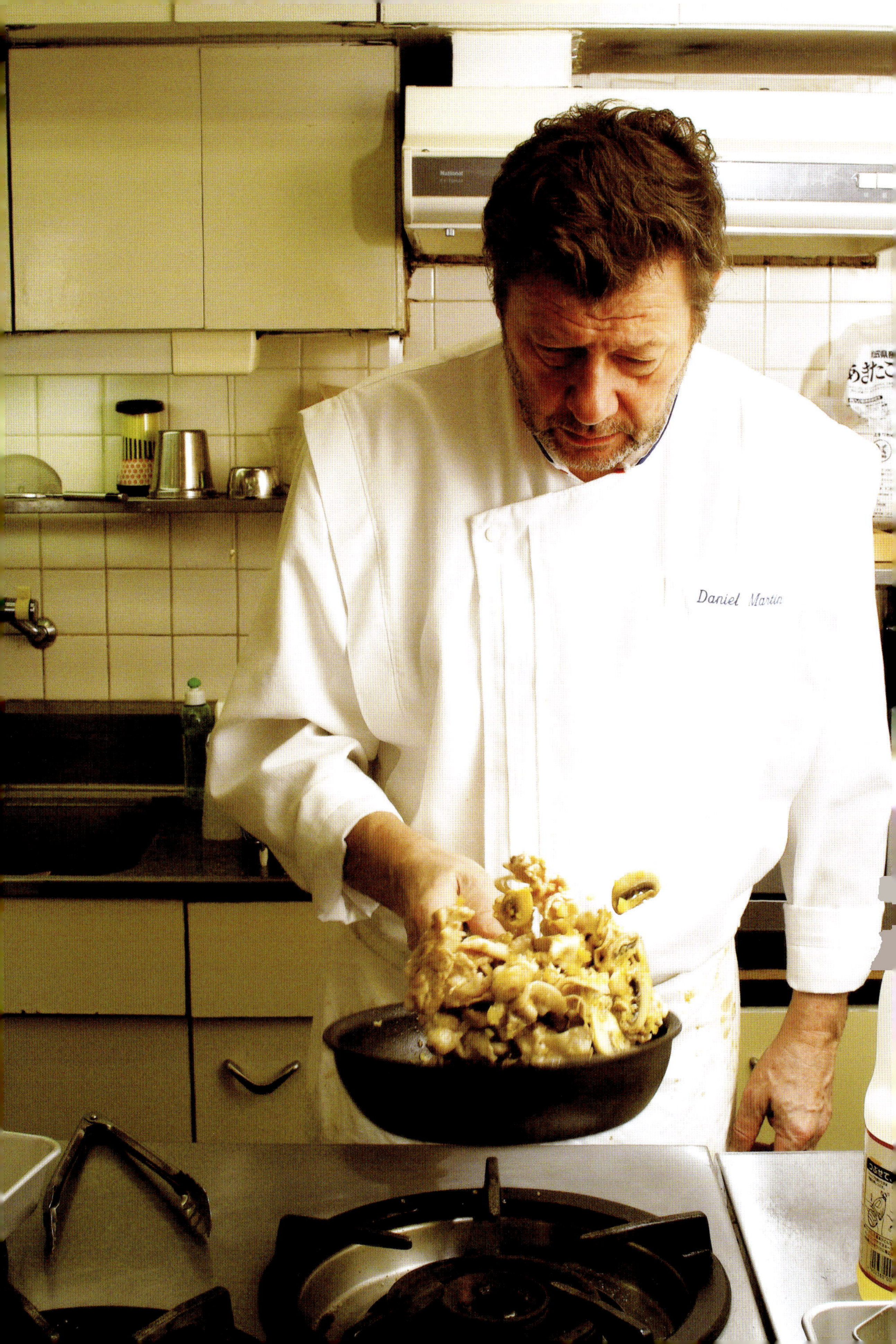
Daniel Martin

# Viande

ステーキは「かたい」のがお約束!?

フランス料理の特徴は例外なく「ソース」を作るところです。たとえば中華料理では野菜、肉、水、調味料、すべて一つのフライパンの中に入れていきますよね。とてもわかりやすい、「フライパンに集める料理」です。

一方、フランス料理は「皿に集める料理」。お肉を料理して皿に盛りつけ、野菜を添えたり、そのまわりにソースをあしらったりします。この作業が、「フランス料理は難しい」という印象を抱かせているようですが、もちろん特別な作業が必要なわけではありませんし、今回のレシピでは〝フライパン１本〟で手軽に作れるものを用意してあります。ただ、「焼き方」には注意しましょう。

どのように焼くかで肉料理は味も楽しみ方も変わってしまうからです。フランスでは羊、馬、いのしし、うさぎ、鴨など肉の種類が豊富なこともあり、焼き方は「ウェルダン（かため）」が一般的です。しかし日本では、「ミディアム」などやわらかいものをよく食べますよね。だからこそ、焼き方に気をつけてほしいと思いますし、その場合には、付け合わせにかための食材がおすすめです。フランスではお肉がかためなので、付け合わせは「じゃがいものフリット」が一般的ですし、意外に「ごはん」もよく合います（実は私のお気に入り！）。フランス料理とごはん……試してみてはいかがでしょうか。

「歯ごたえ」のバランスもフランス料理を楽しむための、大きなポイントになりますよ。

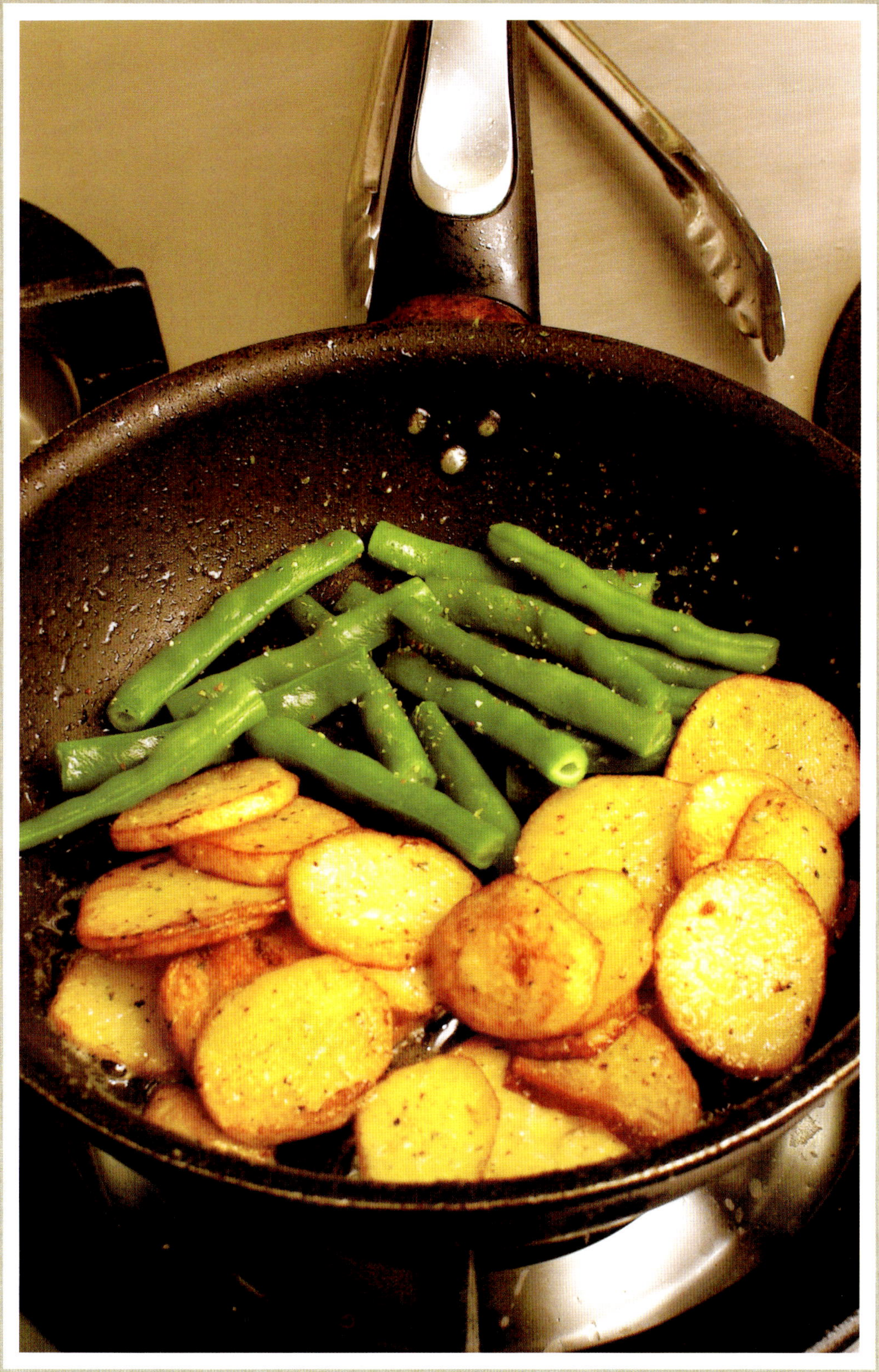

# Piccata de volaille cordon bleu
## 鶏肉のピカタ コルドン・ブルー

les ingrédients pour 2 personnes

鶏むね肉　1枚
ハム　2枚
チーズのスライス（グリュイエール or
　エメンタール or ピザ用）　2枚
小麦粉　大さじ1
卵　1個
パン粉　100g
サラダオイル　15ml
バター　15g
フォンドボー　100ml
塩・こしょう　各適量

［付け合わせ］
じゃがいも　小4個
バター　15g
サラダオイル　15ml
いんげん　120g
塩（ゆでる用）　少量

recette 1 
じゃがいもは皮をむいて3mm厚さにスライスし、熱したフライパンにバターとサラダオイルを入れて、中火で8分ほど炒める。沸騰したフライパンの湯に塩を入れていんげんをゆでておく。

recette 2 
皮を取り除いた鶏むね肉を4枚の薄切りにする。

recette 3 
ラップに包み、押すようにめん棒で叩いて、形を整える。

recette 4 
1枚の鶏むね肉にハムとチーズを1枚ずつのせ、ふたをするように、その上にもう1枚の肉をのせる。塩、こしょうで下味をつけ、中身のチーズがとろけて出ないようにぴったりとくっつける。

recette 5 
小麦粉を薄くまぶした4に溶き卵とパン粉で衣をつける。

recette 6 
熱したフライパンにバターとサラダオイルを入れ、5をこんがりと色づくまで弱火で焼く。塩、こしょうで味を調え、フライパンから取り出しておく。

recette 7 
フライパンに残ったバターにフォンドボーを加えてソースを作る。

recette 8
仕上げ
6を皿に盛りつけて、7のソースをかける。食べやすい大きさに切ったいんげんとじゃがいもを横に添える。

point ＊
パン粉は叩くかミキサーにかけて細かくするのがコツ！

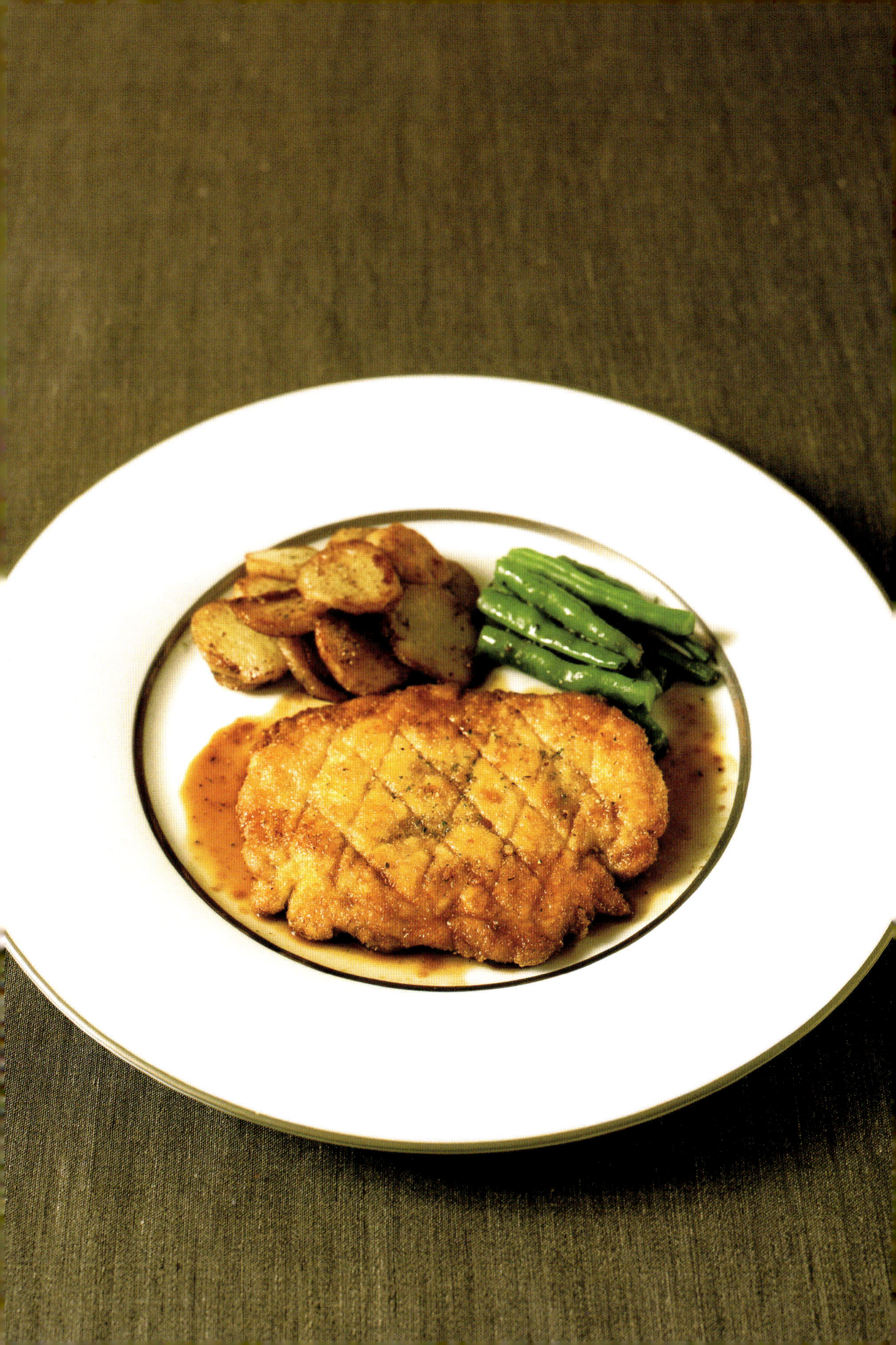

# Emincé de porc courgettes au cumin
## 豚肉の薄切りズッキーニ添え カレー風味

les ingrédients pour 2 personnes

しゃぶしゃぶ用豚肉　150g
ズッキーニ　1本
クミンパウダー　適量
小麦粉　大さじ1
揚げ油　適量（フライパンに3cm程度）
サラダオイル　30ml
バター　30g
玉ねぎのみじん切り　大さじ1
にんにくのみじん切り　1かけ分
マッシュルーム　3個
フォンドボー　50ml
パセリのみじん切り　少々
塩・こしょう　各適量

recette 1
豚肉を沸騰させた湯の中に白くなるまで20秒ほど入れる。

recette 2
氷水にとって冷ましてから別の器に移しておく。

recette 3
スライスしたズッキーニにクミンパウダー少々と小麦粉をまぶし、高温(180度)に熱した揚げ油の中で、色みがつくまで手早く揚げる。

recette 4
熱したフライパンにサラダオイルとバターを入れ、玉ねぎ、にんにく、スライスしたマッシュルームを入れ、軽く塩、こしょうして3分ほど強火で炒める。

recette 5
3を加え、塩、こしょうで味つけする。2を加えてさらに炒める。

recette 6
クミンパウダー少々、フォンドボーを加えて2分ほど煮つめる。

recette 7
仕上げ
6を皿に盛りつけ、その上からパセリをかける。

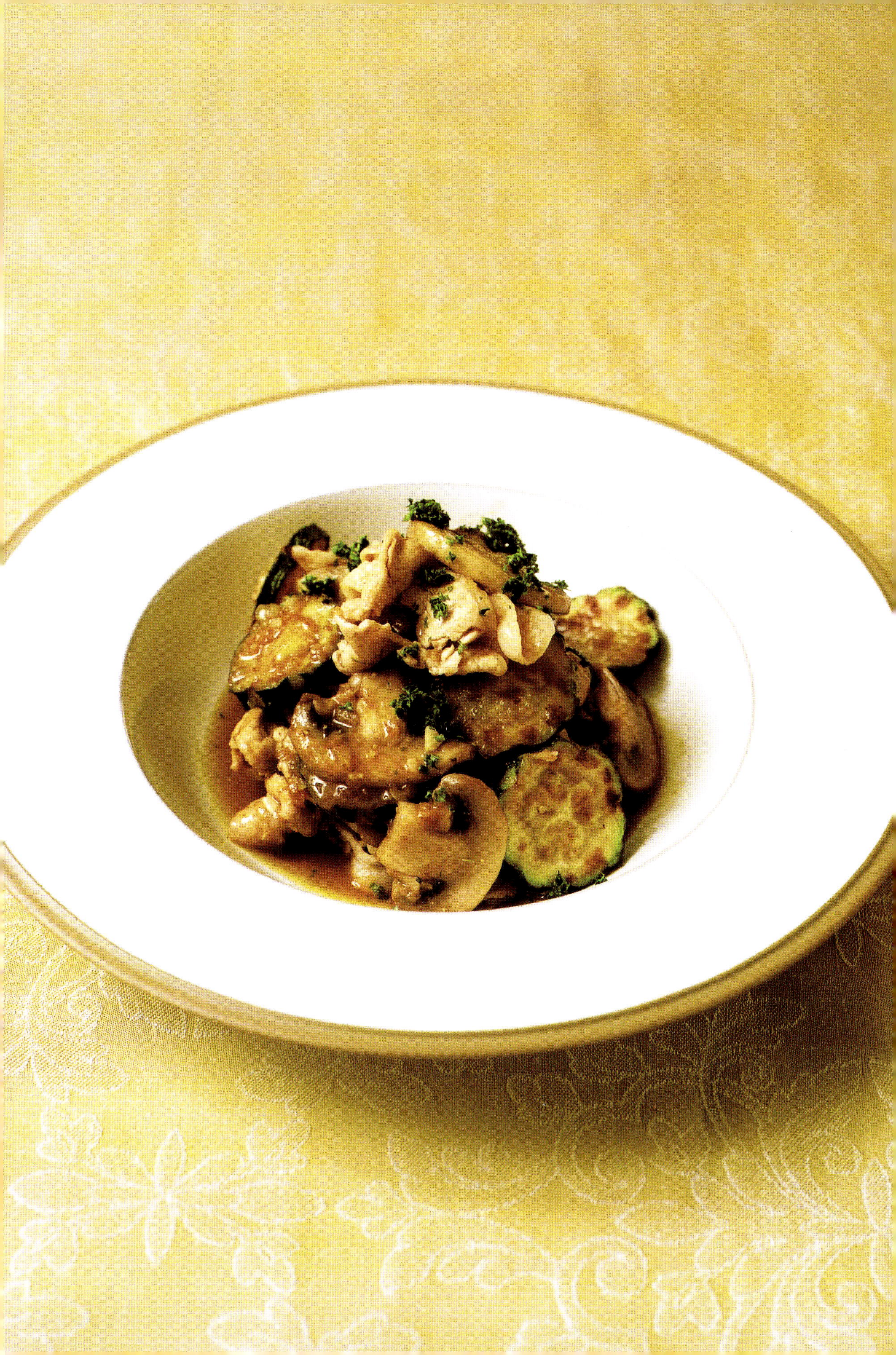

# Nems de bœuf croustillantes

カリカリのビーフ・ネム（ベトナム風春巻き）

les ingrédients pour 2 personnes

> 春巻きの皮　4枚
> しゃぶしゃぶ用牛肉　100g
> エリンギ　1本
> もやし　1/2袋
> にんにくのみじん切り　1かけ分
> ごま　小さじ1
> グラスドビアンド　小さじ1
> ごま油　大さじ1
> 揚げ油　適量（フライパンに半分程度）
> 塩・こしょう　各適量
>
> ［付け合わせ］
> プチトマト　1個
> にんじん　30g
> 水菜　ひとつまみ
> かいわれ菜　適量
>
> ［ビネグレット］
> ワインビネガー　小さじ1
> オリーブオイル　大さじ1
> 塩・こしょう　各適量

recette 1 
プチトマトを湯むきし（P.7参照）、4つに切って種を取り除く。にんじんは皮をむいて細いせん切りにし、エリンギも筋の方向にそってせん切りにする。もやし、水菜、かいわれ菜は洗って水気をきっておく。

recette 2 
熱したフライパンにごま油を入れてから、強火でエリンギともやしを炒め、塩、こしょうで下味をつける。さらに、にんにく、ごま、グラスドビアンドを加えて炒めたのち、ボウルにとって粗熱を取る。

recette 3 
テーブルの上に春巻きの皮を広げ、皮のへりにハケで水をつける。皮の上に牛肉を広げ2の4分の1をのせて中身が出ないように巻く。皮が戻らないように最後を水で留める。

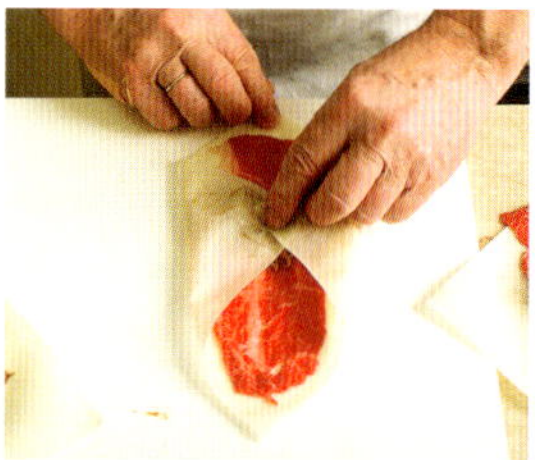

recette 4
3の春巻きを、高温（180度）に熱した揚げ油の中で3〜4分揚げる。 

recette 5
仕上げ
揚がった春巻きを切って皿に盛りつける。塩、こしょう、ワインビネガー、オリーブオイルでビネグレットを作り、付け合わせの野菜にかけてから、春巻きの上に盛りつける。

point *
揚げているときに中身が出てこないように、しっかり巻くのがコツ。

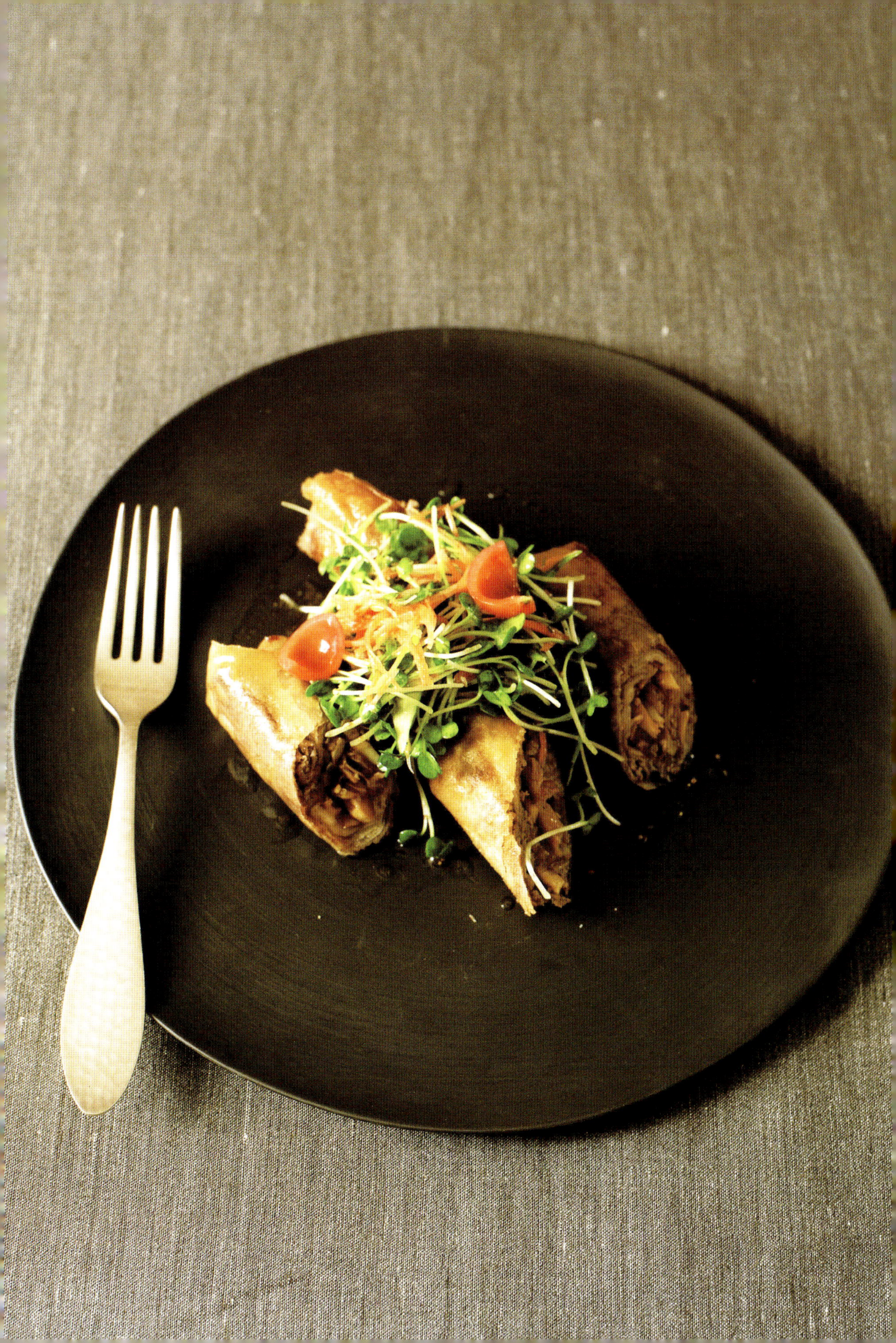

# Boulettes de bœuf à la tomate
## 牛肉のミートボール トマト風味

les ingrédients pour 2 personnes

牛ひき肉　200g
玉ねぎのみじん切り　小さじ2
にんにくのみじん切り　2かけ分
パセリのみじん切り　大さじ1
ごま　大さじ1
にんじん　30g
セロリ　30g
白ワイン　50ml
トマトペースト　小さじ1
フォンドボー　100ml
トマトの角切り　1/2個分
サラダオイル　大さじ2
　（大さじ1＋大さじ1）
塩・こしょう　各適量

［付け合わせ］
じゃがいものフリット
　（ライスまたはグリーンサラダ）

recette 1　熱したフライパンにサラダオイル大さじ1を入れて、玉ねぎとにんにくを、透き通るまで弱火で1分ほど炒める。

recette 2　牛ひき肉に1を加え、塩、こしょうで下味をつける。パセリとごまを加えて混ぜ合わせる。

recette 3　2を丸めて、くるみ大のミートボールを作る。

recette 4　にんじんとセロリを5～6mm角に切る。

recette 5　熱したフライパンにサラダオイル大さじ1を入れ、4を手早く炒めてから、3のミートボールを入れて強火で焼き色をつける。

recette 6　白ワイン、トマトペーストを加え、それらが約3分の2になるまで中火で煮つめる。

recette 7　フォンドボーを加え、ふたをして強火で10分ほど加熱する。煮つまったらトマトを加える。

recette 8
仕上げ
7を深皿に盛りつけ、パセリをふりかける。その横にじゃがいものフリット(P.7参照)を添える。

point ★
ミートボールを皿に盛りつけるとき、ライスやサラダを付け合わせにしてもおいしいですよ。よりフランス風になります。

郵便はがき

料金受取人払郵便
新宿北局承認

8635

差出有効期間
2022年7月
31日まで
切手を貼らずに
お出しください。

**169-8790**

154

東京都新宿区
高田馬場2-16-11
高田馬場216ビル5F

## サンマーク出版 愛読者係行

|||
|---|---|
| 〒 | 都道府県 |
| ご住所 | |

| フリガナ | ☎ |
|---|---|
| お名前 | ( ) |

| 電子メールアドレス | |
|---|---|

ご記入されたご住所、お名前、メールアドレスなどは企画の参考、企画用アンケートの依頼、および商品情報の案内の目的にのみ使用するもので、他の目的では使用いたしません。
尚、下記をご希望の方には無料で郵送いたしますので、□欄に✓印を記入し投函して下さい。
□サンマーク出版発行図書目録

愛読者はがき

# 1 お買い求めいただいた本の名。

# 2 本書をお読みになった感想。

# 3 お買い求めになった書店名。

市・区・郡　　　　　　　町・村　　　　　　書店

# 4 本書をお買い求めになった動機は?

・書店で見て　　　　　・人にすすめられて
・新聞広告を見て(朝日・読売・毎日・日経・その他＝　　　　　)
・雑誌広告を見て(掲載誌＝　　　　　　　　　　　　　　　　)
・その他(　　　　　　　　　　　　　　　　　　　　　　　　)

ご購読ありがとうございます。今後の出版物の参考とさせていただきますので、上記のアンケートにお答えください。**抽選で毎月10名の方に図書カード(1000円分)をお送りします。**なお、ご記入いただいた個人情報以外のデータは編集資料の他、広告に使用させていただく場合がございます。

# 5 下記、ご記入お願いします。

| ご職業 | 1 会社員(業種　　　　　)2 自営業(業種　　　　　) |
| :---: | :--- |
| | 3 公務員(職種　　　　　)4 学生(中・高・高専・大・専門・院) |
| | 5 主婦　　　　　　　　　6 その他(　　　　　　　　　) |
| 性別 | 男　・　女　　　年齢　　　　　　　　　　歳 |

ホームページ　http://www.sunmark.co.jp　　ご協力ありがとうございました。

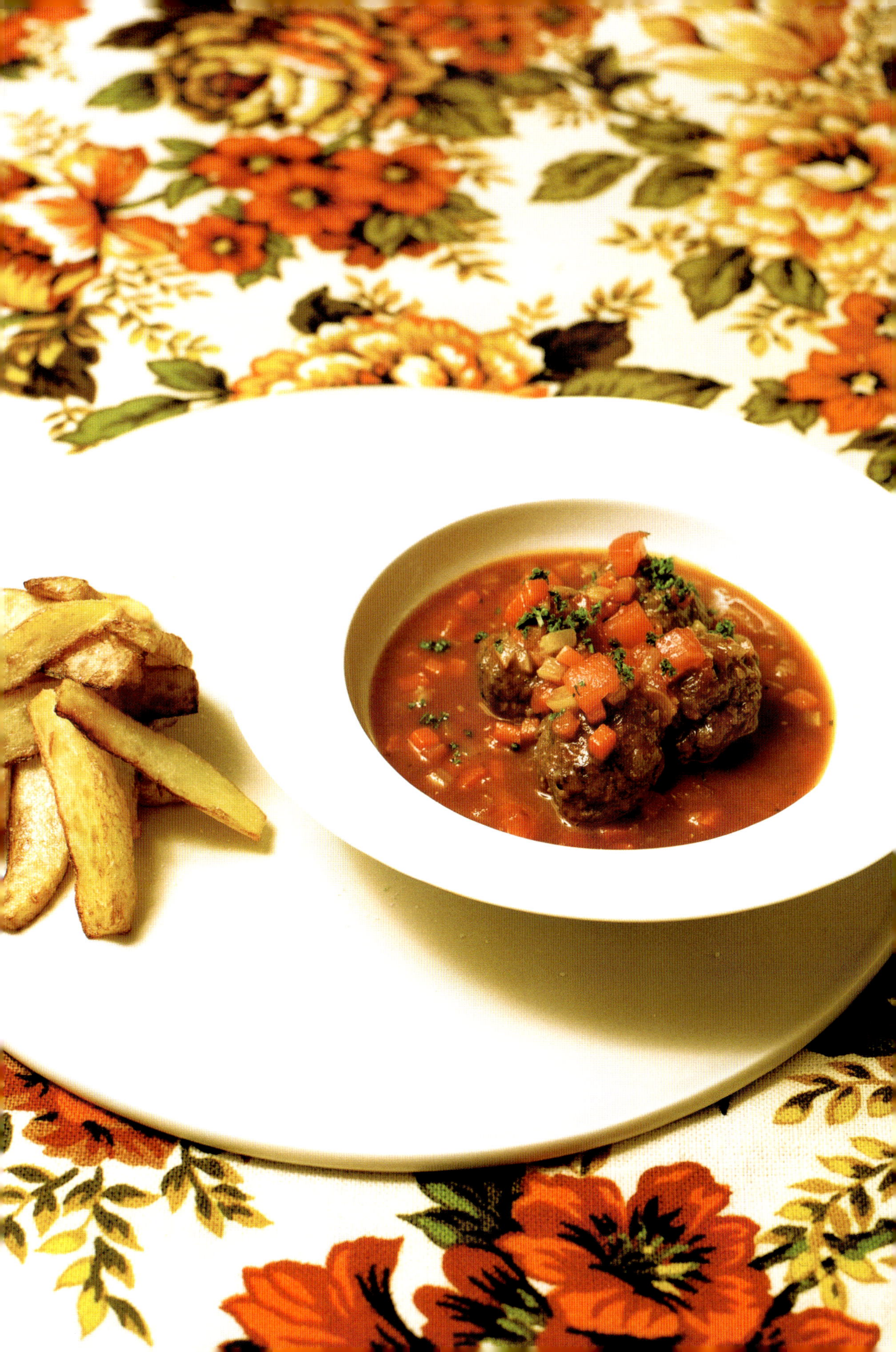

# Médaillons de porc aux rainkons
## 豚肉のメダイヨン れんこん添え

les ingrédients pour 2 personnes

れんこん　約3cm
酢水　白ワインビネガー大さじ1＋
　　水適量
バター　30g（10g＋20g）
小麦粉　適量
サラダオイル　30ml
塩・こしょう　各適量

[詰め物]
豚ひき肉　150g
玉ねぎのみじん切り　大さじ1
にんにくのみじん切り　1かけ分
おろししょうが　小さじ1
パセリのみじん切り　大さじ1
煎った松の実（またはごま）　大さじ2
塩・こしょう　各適量

[ビネグレット]
赤ワインビネガー　小さじ1
オリーブオイル　小さじ3
塩・こしょう　各適量

[付け合わせ]
水菜　2株

recette 1
れんこんの皮をむき、3mm厚さにスライスする。酢水に10分ほどつけたのち、キッチンペーパーで水気をとる。

recette 2
熱したフライパンにバター10gをとかしてから、玉ねぎ、にんにく、しょうがを入れ、透き通るまで弱火で1分ほど炒める。

recette 3
塩、こしょうで下味をつけた豚ひき肉と2をボウルに入れてから、松の実、パセリを加えて混ぜ合わせる。

recette 4
れんこんの上に同じ大きさに整えた3を置き、その上からもう1枚のれんこんを押し当てる。両側から穴の中に3を詰めるようにし、塩、こしょうで下味をつけてから、小麦粉を全体にまぶす。

recette 5
弱火で熱したフライパンにバター20g、サラダオイルを入れ、4のれんこんを入れてからふたをし、ゆっくり火が通るように弱火に5分ほどかける。裏返してさらに5分ほど加熱する。

recette 6
水菜は洗って水気をきり、食べやすい大きさに切る。塩、こしょう、赤ワインビネガー、オリーブオイルでビネグレットを作り、手早く合わせる。

recette 7
仕上げ
両側にきれいな焼き色がついたところで、肉詰めのれんこんを皿に盛りつけ、6を添える。

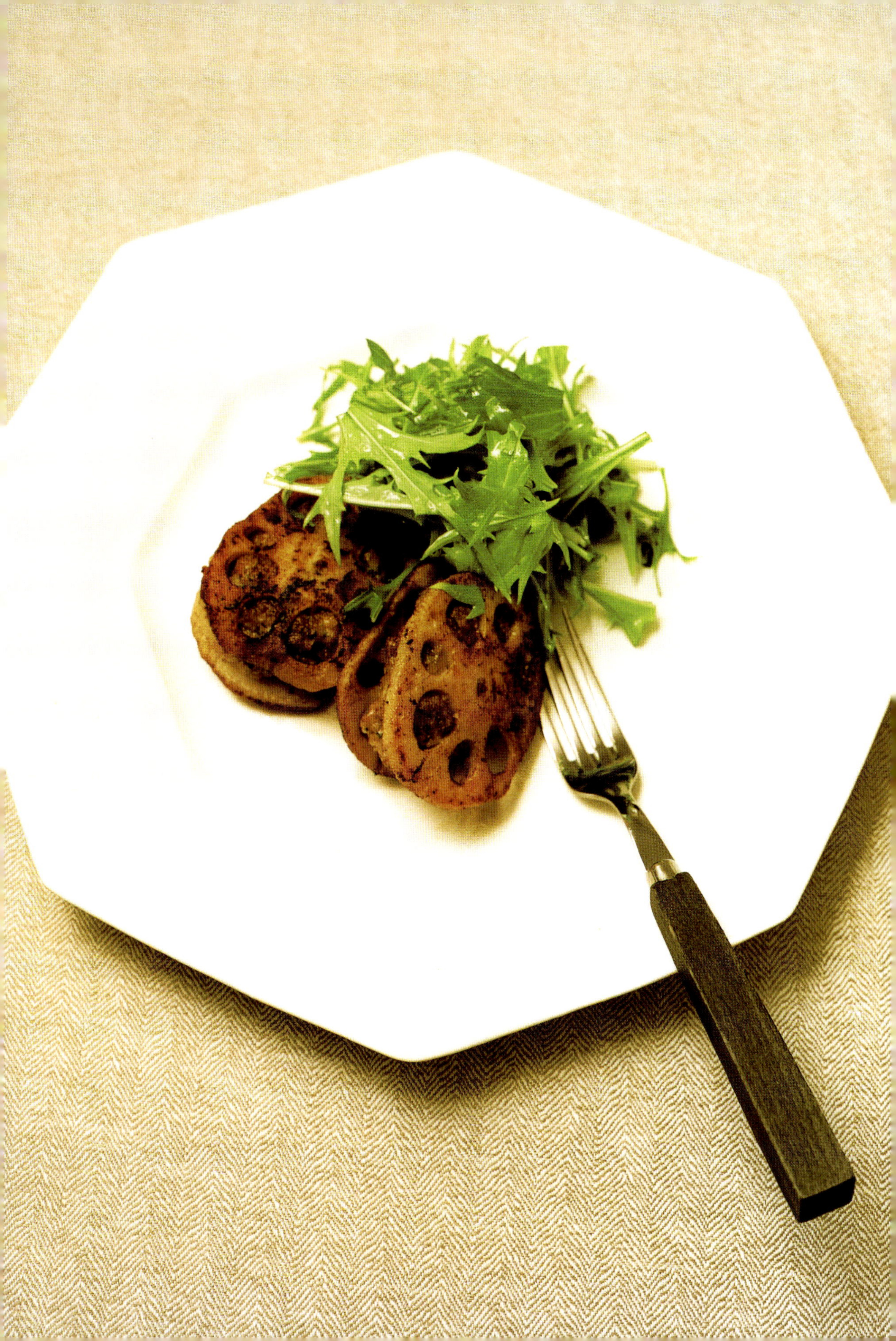

# Porc au gingembre miel et sésame
## フランス風豚肉のしょうが焼き はちみつとごま風味

les ingrédients pour 2 personnes

豚肉(フィレ)　200g
サラダオイル　大さじ1
玉ねぎのみじん切り　大さじ1
にんにくのみじん切り　1かけ分
しょうがのみじん切り　10g
煎った白ごま　大さじ2
ごま油　小さじ1
パセリのみじん切り　少々
塩・こしょう　各適量

［ソース］
はちみつ　大さじ2
しょうゆ　大さじ2
ウスターソース　大さじ2
白ワイン　大さじ2
片栗粉　小さじ1/2

［付け合わせ］
ライス　250〜300g

recette 1
はちみつ、しょうゆ、ウスターソース、白ワイン、片栗粉を混ぜてソースを作る。

recette 2
豚肉をスライスしてから筋の方向に4cm長さ、1cm幅の短冊状に切って、塩、こしょうで下味をつける。

recette 3
フライパンを熱してからサラダオイルを入れ、玉ねぎ、にんにく、しょうがを色づくように弱火で1分ほど炒める。

recette 4
3に豚肉を入れて3〜4分強火で焼き色をつけたら、1のソースを加え、さらに2〜3分火を通す。

recette 5
仕上げ
4に白ごまとごま油を加えてから、ライスとともに皿に盛りつける。豚肉の上にパセリをのせる。

point
*
ライスとの相性を楽しみましょう！

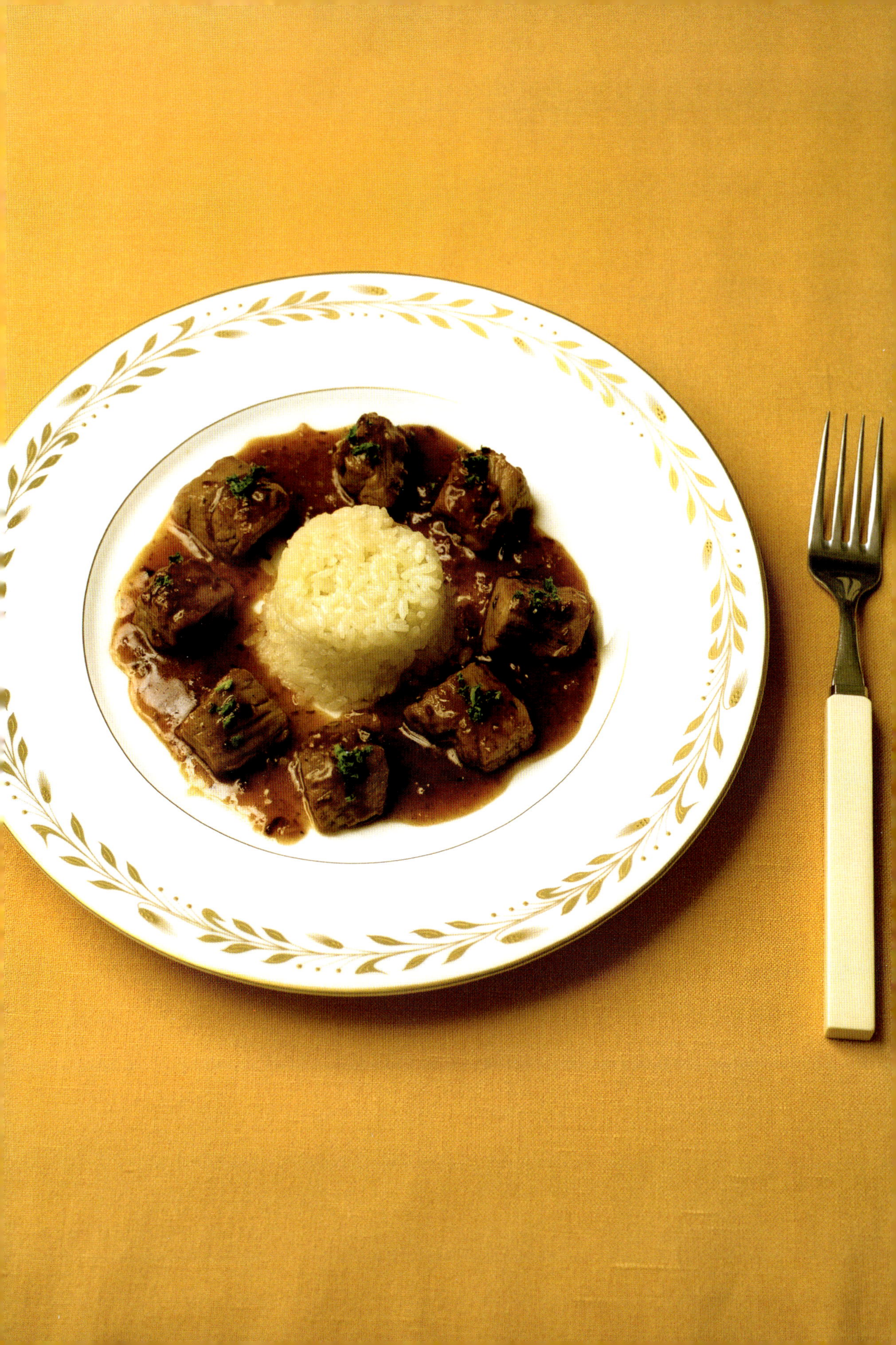

# Viénnoise de porc aux amandes
## 豚肉のビエノワーズ アーモンド風味

les ingrédients pour 2 personnes

- しょうが焼き用豚肉　4枚
- 小麦粉　大さじ2
- 卵　1個
- パン粉　60g
- アーモンドパウダー　60g
- サラダオイル　大さじ2
- バター　40g(30g + 10g)
- ほうれん草　1/2把
- フォンドボー　100ml
- 塩・こしょう　各適量

recette 1
小麦粉、溶き卵、パン粉とアーモンドパウダーを混ぜたものをそれぞれ用意する。

recette 2
塩、こしょうで下味をつけた豚肉に、小麦粉から順に1をつける。

recette 3
サラダオイルとバター30gを入れたフライパンで色づくように両面を焼き、取り出しておく。

recette 4
フライパンにバター10gを入れ、洗ってから根の部分を切り落としたほうれん草を、やわらかくなるまで2分ほど炒める。

recette 5
ほうれん草を取り出したフライパンにフォンドボーを加え、ソースを作る。

recette 6
仕上げ
皿に敷いたほうれん草の上に3の豚肉を盛りつけ、そのまわりに5のソースをかける。

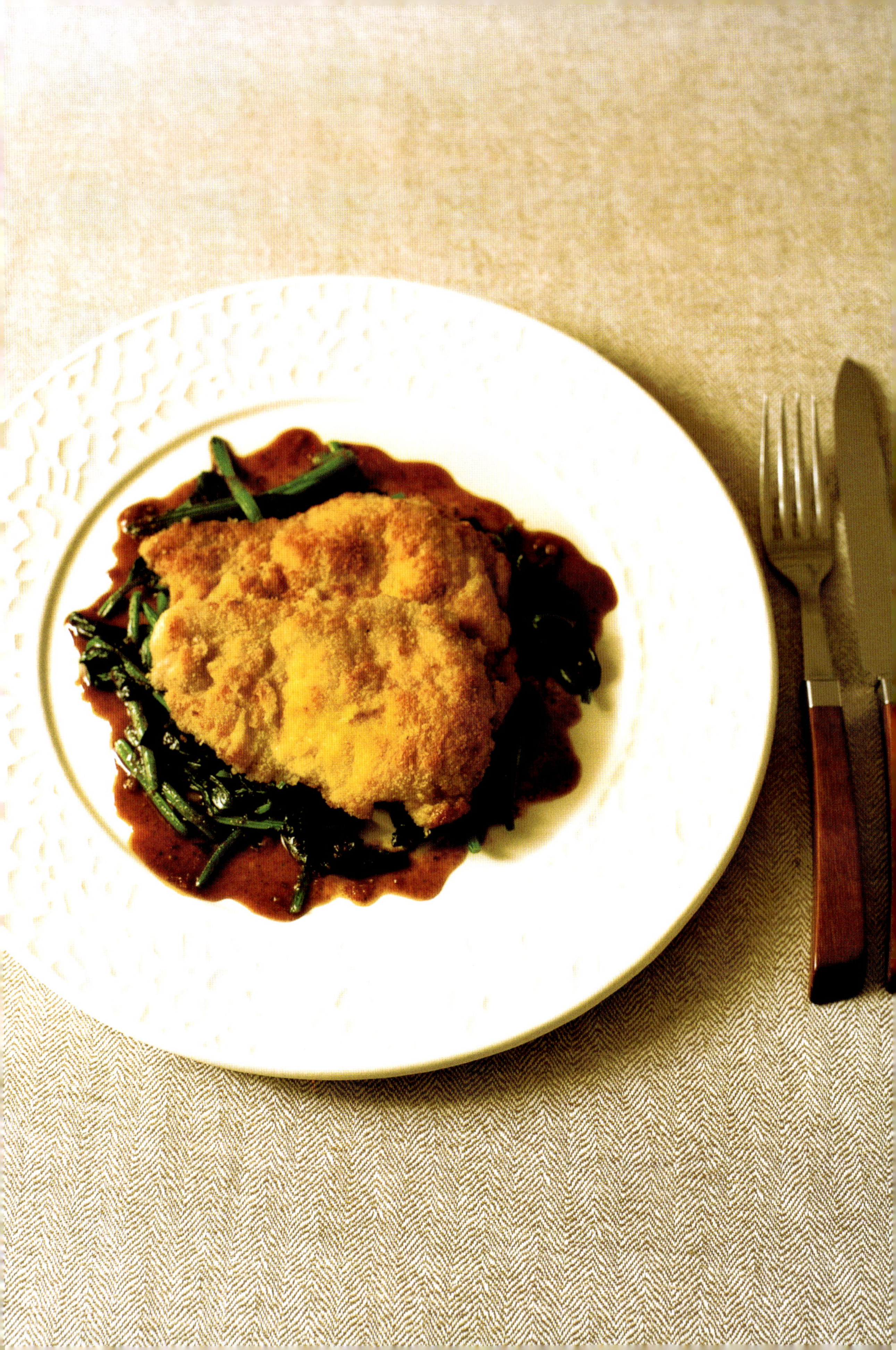

# Galette de jambon aux pommes
## ハムのガレット じゃがいも添え

les ingrédients pour 2 personnes

| じゃがいも　中2個
| 卵　1個
| パルメザンチーズ　大さじ2
| 玉ねぎのみじん切り　大さじ1
| パセリのみじん切り　小さじ1
| マッシュルーム　3個
| ハム　2枚
| バター　20g
| サラダオイル　20ml
|
| [付け合わせ]
| お好きなサラダ用葉野菜
|
| [ビネグレット]
| 赤ワインビネガー　小さじ1
| オリーブオイル　大さじ1
| 塩・こしょう　各適量

recette 1
じゃがいもの皮をむいて、グレーター(またはスライサー)ですりおろす。

recette 2
網に入れて1のデンプン質を洗い流す。

recette 3
洗い流したらかたく絞り、キッチンペーパーで水気をとる。

recette 4
3と溶き卵、パルメザンチーズ、玉ねぎ、パセリ、マッシュルームのスライス、3cm長さに細切りしたハムを混ぜ合わせる。

recette 5
熱したフライパンにバターとサラダオイルを入れ、4を直径10〜12cm、1〜2cm厚さの大きさのセルクルで焼く。空気が入らないように軽く叩いて形を整える。

recette 6
両面を弱火で6〜7分ずつ焼き、こんがりとした焼き色をつける。

recette 7
仕上げ
塩、こしょう、赤ワインビネガー、オリーブオイルでビネグレットを作り、洗って水気をきったサラダ用葉野菜にかけて、ガレットの上に盛りつける。

point
*
セルクル、または上下のふたを取った缶詰の空き缶を使うと作りやすいですよ。

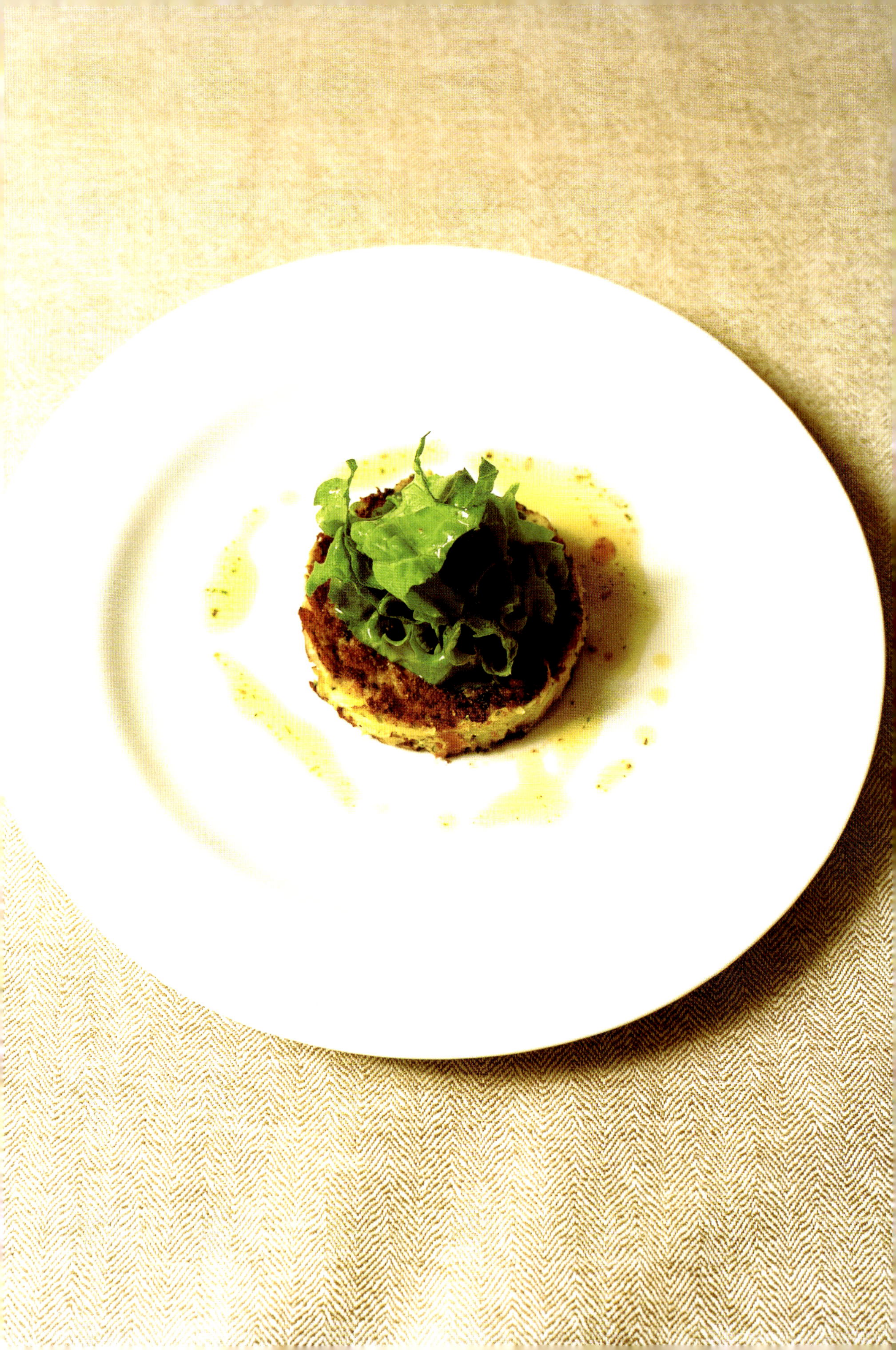

# Filets de volaille aux champignons
## 鶏肉のフィレ きのこ添え

les ingrédients pour 2 personnes

| 鶏ささみ　4本
| 小麦粉　大さじ1
| バター　40g(20g + 20g)
| マッシュルーム　5個
| グラスドビアンド　大さじ1
| 生クリーム　150ml
| 塩・こしょう　各適量
| パセリのみじん切り　小さじ1

[付け合わせ]
| パスタ　100g
| 塩(ゆでる用)　少量
| 水・バター　各少量

recette 1
沸騰させた湯に塩を入れ、パスタをゆでる。ゆであがったパスタはボウルにとっておく。

recette 2
塩、こしょうで下味をつけた鶏ささみを短冊状に切り、小麦粉をまぶす。

recette 3
熱したフライパンにバター20gを入れて、2の鶏ささみを色づくまで強火で3〜4分炒める。

recette 4
鶏ささみが色づいたらバター20gとスライスしたマッシュルームを加え、さらに2分ほど炒める。

recette 5
4にグラスドビアンドと生クリームを加える。

recette 6
強火で1〜2分とろみがつくまで煮つめて取り出す。

recette 7
1のパスタに少量の水とバターを加えて温める。

recette 8
仕上げ
7を皿に盛りつけてから6をかけ、パセリをふる。

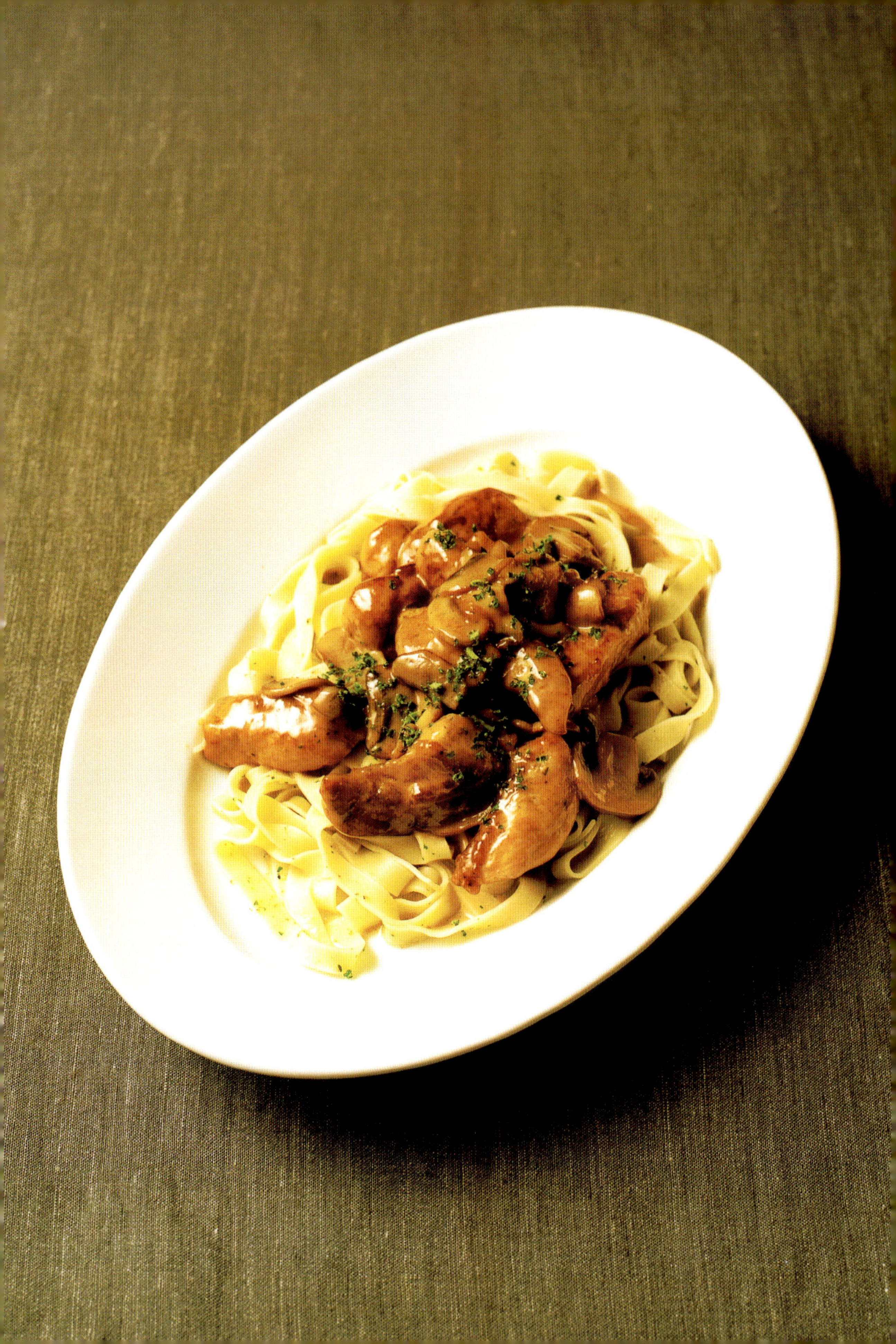

# Shiitakes farcis
## しいたけのファルシー

les ingrédients pour 2 personnes

- しいたけ　6枚
- バター　30g(15g + 15g)
- サラダオイル　20ml
- トマトの角切り　小1個分
- フォンドボー　100ml
- チーズのスライス(グリュイエール or エメンタール or ピザ用)　2枚
- パセリのみじん切り　適量
- トマト　1/2個

[詰め物]
- 豚ひき肉　150g
- 食パン　1/2枚
- 牛乳　40ml
- 玉ねぎのみじん切り　大さじ1
- にんにくのみじん切り　1かけ分
- パセリのみじん切り　大さじ1
- 塩・こしょう　各適量

recette 1
耳を取って細かくちぎった食パンを牛乳に浸してしばらくおく。

recette 2
フライパンでペースト状になるまで弱火でよくねり混ぜて取り出しておく。

recette 3
熱したフライパンにバター15gをとかし、玉ねぎ、にんにく、パセリを加え、玉ねぎが透き通るまで1分ほど弱火で炒めてボウルに取り出す。

recette 4
3に豚ひき肉と2を加えて手早く混ぜ合わせ、塩、こしょうで下味をつける。

recette 5
軸を取ったしいたけのかさに4を詰め、全体が球状になるように手の上でまとめる。

recette 6
熱したフライパンにバター15gとサラダオイルを入れてから、しいたけを下にして並べ、トマトとフォンドボーを加える。ふたをして弱火で5分ほど加熱する。

recette 7
しいたけの上に小さく切ったチーズをのせ、ふたをしてさらに2分ほど加熱する。

recette 8
仕上げ
しいたけとひし形に切ったトマトを皿に盛りつけて、フライパンに残ったソースをかける。しいたけにパセリをふる。

point ★
詰め物に使う4はよく混ぜて、できれば前日に作って冷蔵庫に入れておくとよりおいしい。

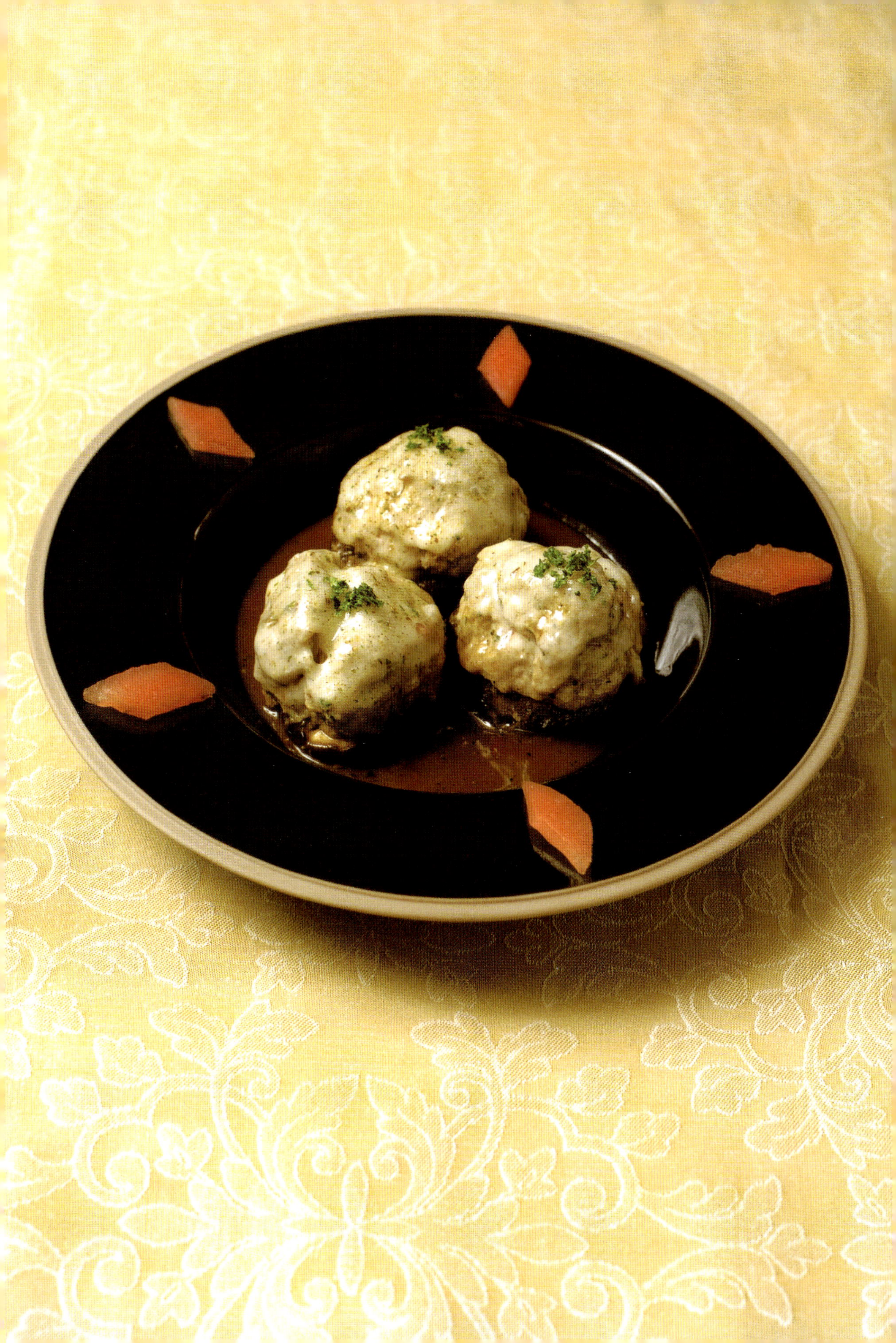

「盛りつけ」で魅せる魚料理

# Poisson

100以上のレシピから選んだ、シェフこだわりの魚料理

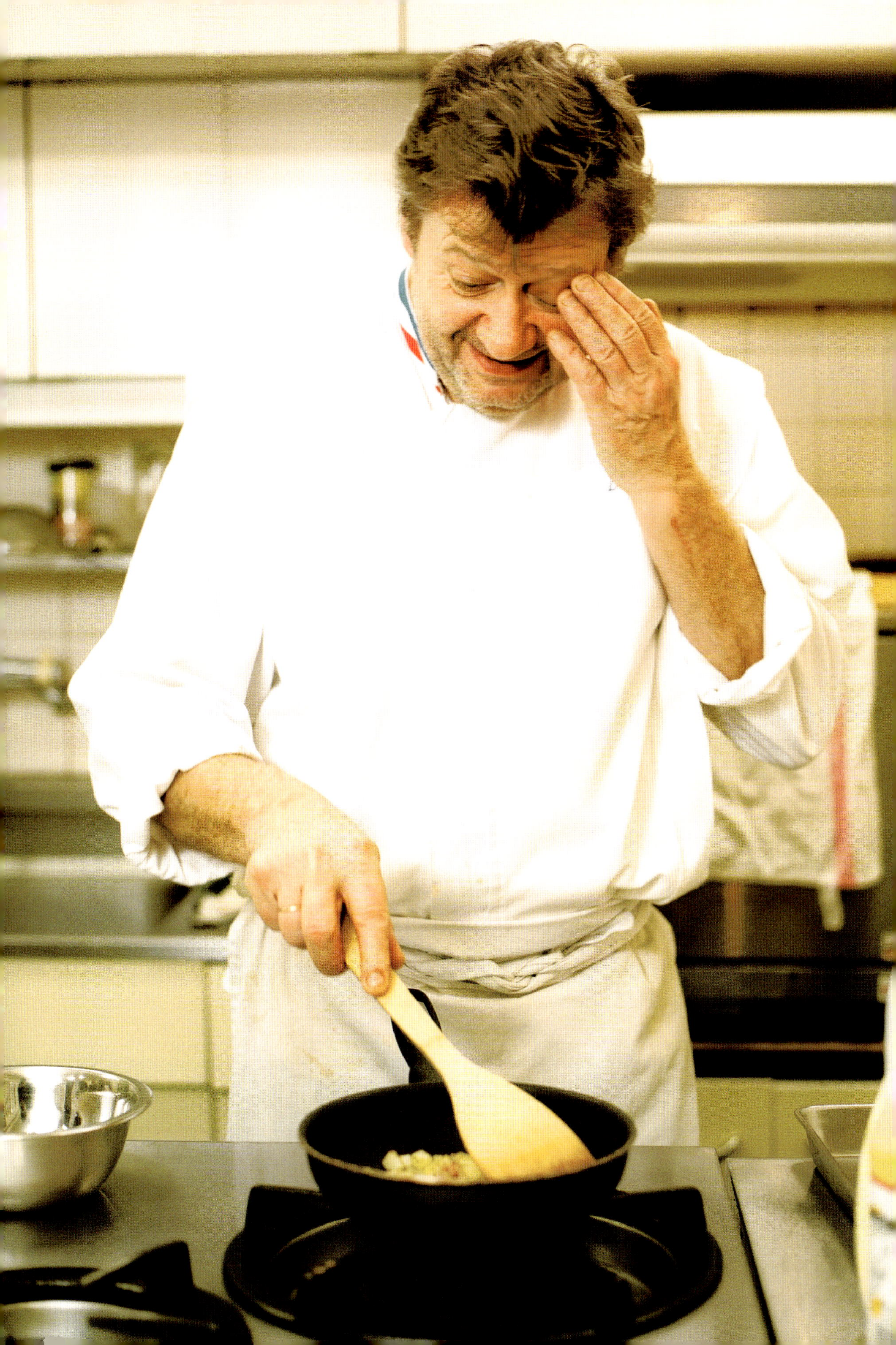

Poisson

日本は世界一の魚の宝庫！

　日本では当たり前のように四季があり、当たり前のように北海道から沖縄まで旅行を楽しめますが、私はこれがとても貴重なことだと思っています。私の祖国フランスにも四季はあります。しかしフランスだけではなく、世界の国々を見渡しても日本のように南北に長く、暖流と寒流に囲まれている国はありません。それだけ多様な魚が集まる日本の市場は、世界で最も水準が高いのではないでしょうか。魚の種類が豊富なことはもちろん、何より日本のどこに行っても「鮮度」が保たれていることに感動します。もし日本で魚がこれほどとれなかったら、私はこの国に滞在していなかったと思います。

　そんな魚料理のポイントは「弱火」です。魚は肉と違って皮がありますし、煮くずれもします。そして、肉のように薄くはないので火は通りにくいもの。決して焦ってはいけません。弱火でじっくり焼いていくことで、身の中にうまみが凝縮された、見た目もきれいな魚料理が実現します。

　そして、もう一つのポイントが「ソース」です。白身の魚にはクリーム系のソースが合いますが、青魚には合いません。青魚ならば、みそやしょうゆもおいしいですが、私は白ワインやビネガーを用いたソースを作ることが多いですね。

　日本人があまり魚を食べなくなったと言われる今だからこそ、「世界一贅沢な食材」を、もっと楽しく味わいましょう！

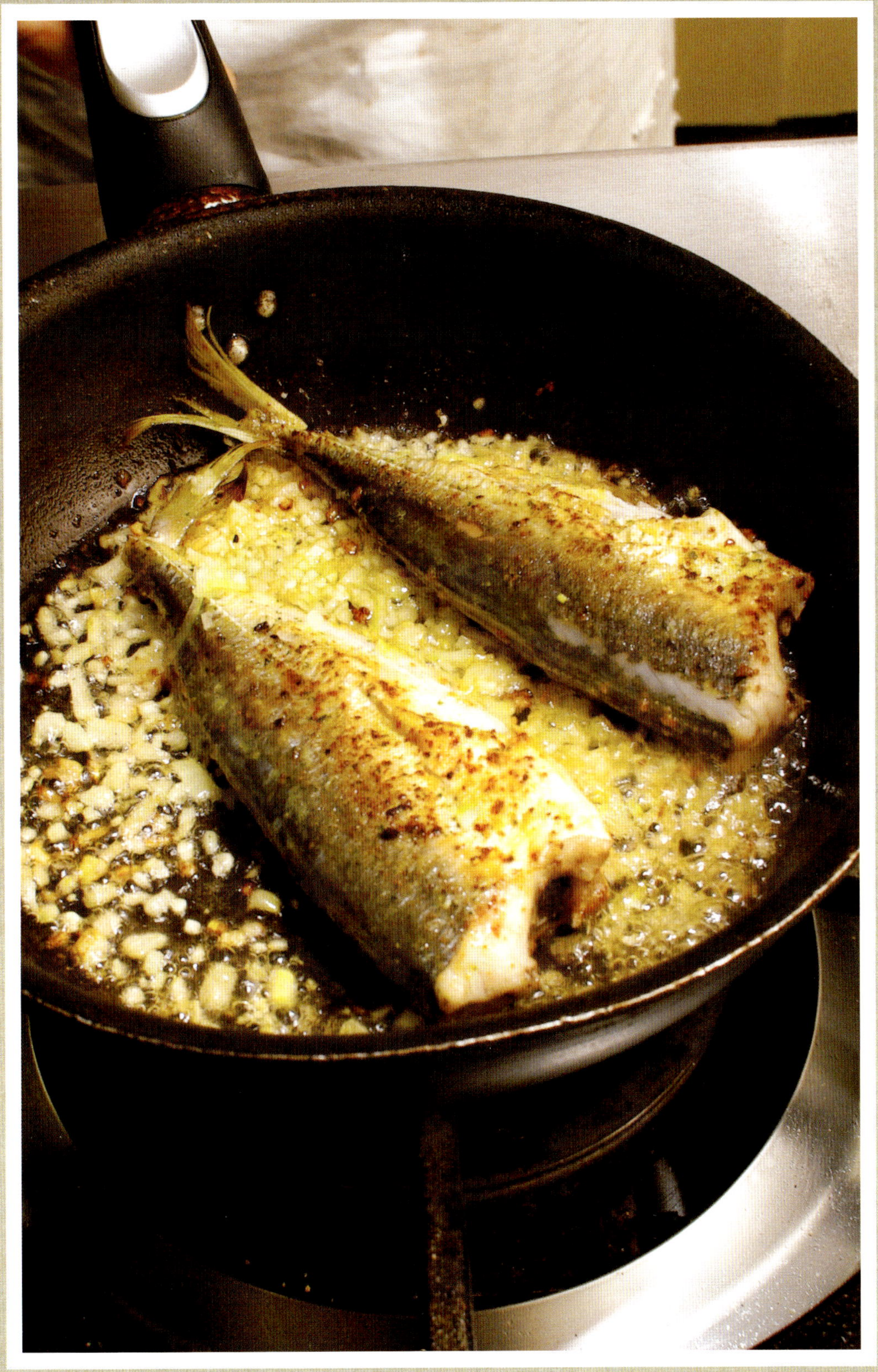

# Amtiboise de rouget
## いとよりのアンティーブ風

les ingrédients pour 2 personnes

> いとよりの切り身　2切れ
> トマト　大1個
> 玉ねぎのみじん切り　大さじ1
> パセリのみじん切り　大さじ1
> オリーブオイル　大さじ3
> 赤ワインビネガー　大さじ1
> 塩・こしょう　各適量
> ルッコラ（またはお好みの葉野菜）

recette 1
トマトを湯むきし(P.7参照)、4〜5mm角に切る。玉ねぎを水にさらし、キッチンペーパーで水気をとっておく。

recette 2
1にパセリ、塩、こしょう、オリーブオイルを加えて、よく混ぜ合わせる。

recette 3
2をなじませるためにしばらくおく。冷蔵庫で約3時間、できれば一晩寝かせるのが望ましい。

recette 4
いとよりの身側に塩、こしょうで下味をつけ、熱していないフライパンに皮目を下にして置く。

recette 5
そのまま裏返さずに全体が白くなるまで弱火でゆっくり焼く。

recette 6
手で軽くさわるなどして、全体に火が通ったことを確認する。

recette 7
仕上げ
ルッコラを洗って皿に盛りつけ、その上に6のいとよりを、皮を上にして置く。なじませた3に赤ワインビネガーを加えて、全体にかける。

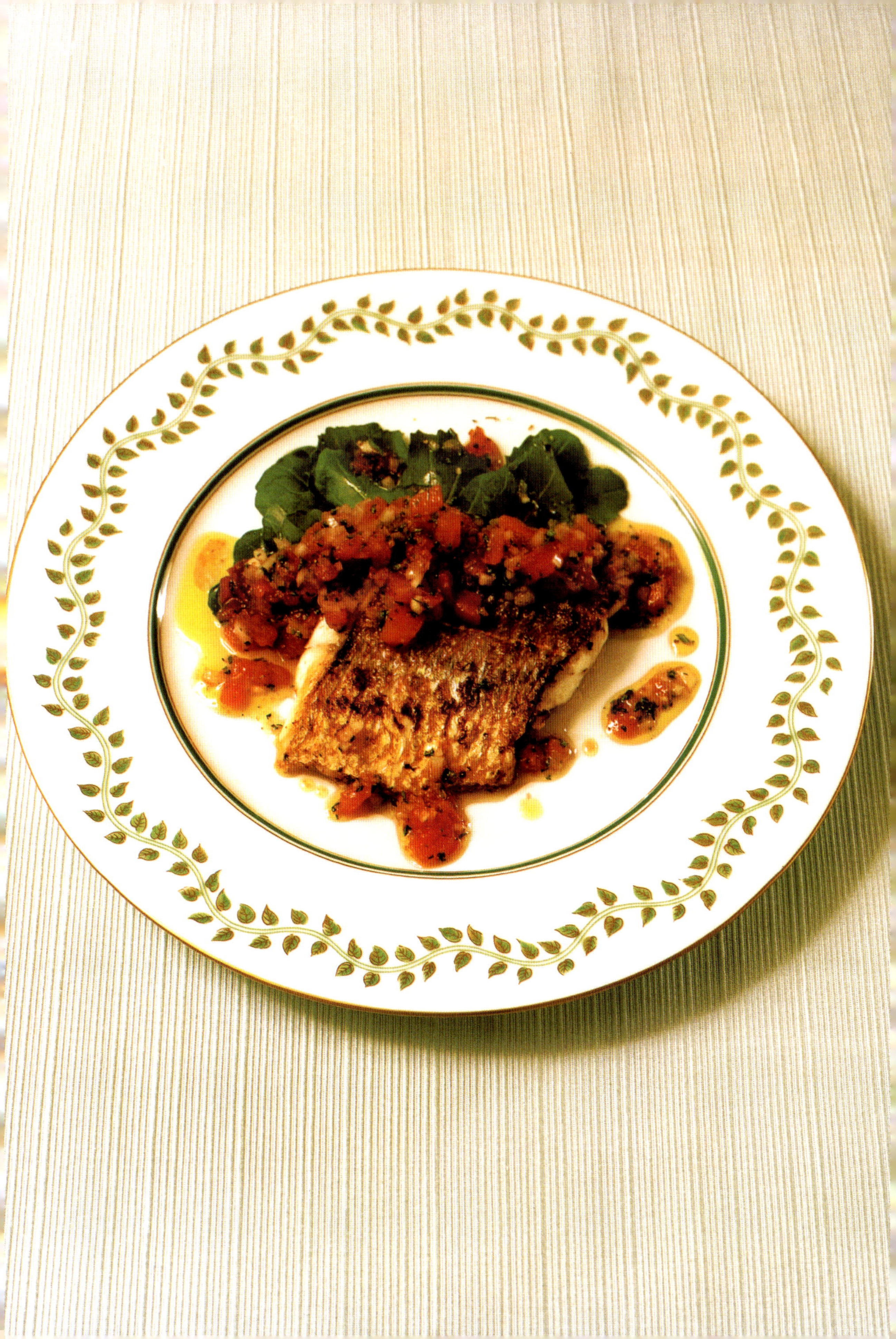

# Ormeaux à la vapeur d'algues, salade de radis à l'huile de sésame

## あわびの海藻包み蒸し 大根のサラダごま風味

les ingrédients pour 2 personnes

あわび　1個（160〜200g）
乾燥わかめ　大さじ1
　（または塩蔵ワカメ　30g）
大根　160g
黒ごま・白ごま　各小さじ½
ごま油　大さじ1
水　50ml
塩・こしょう　各適量

recette 1
乾燥わかめを水に浸して戻し（塩蔵わかめのときは水に浸して塩分を抜き）、水気をきっておく。

recette 2
大根は皮をむき、せん切りにする。そこに塩、こしょうをふり、20分くらいおいておく。

recette 3
大根の水気をキッチンペーパーでとり、黒ごま、白ごま、ごま油をふる。

recette 4
油をひかずに熱したフライパンに、塩、こしょうで下味をつけたあわびを入れ、かぶせるように1のわかめをのせる。水を入れてふたをし、大きさに合わせて8〜10分蒸し焼きにする。

recette 5
あわびを殻からはずしてスライスする。わかめも食べやすい長さに切る。

recette 6
仕上げ
大根とわかめを皿に置き、5のあわびを盛りつける。

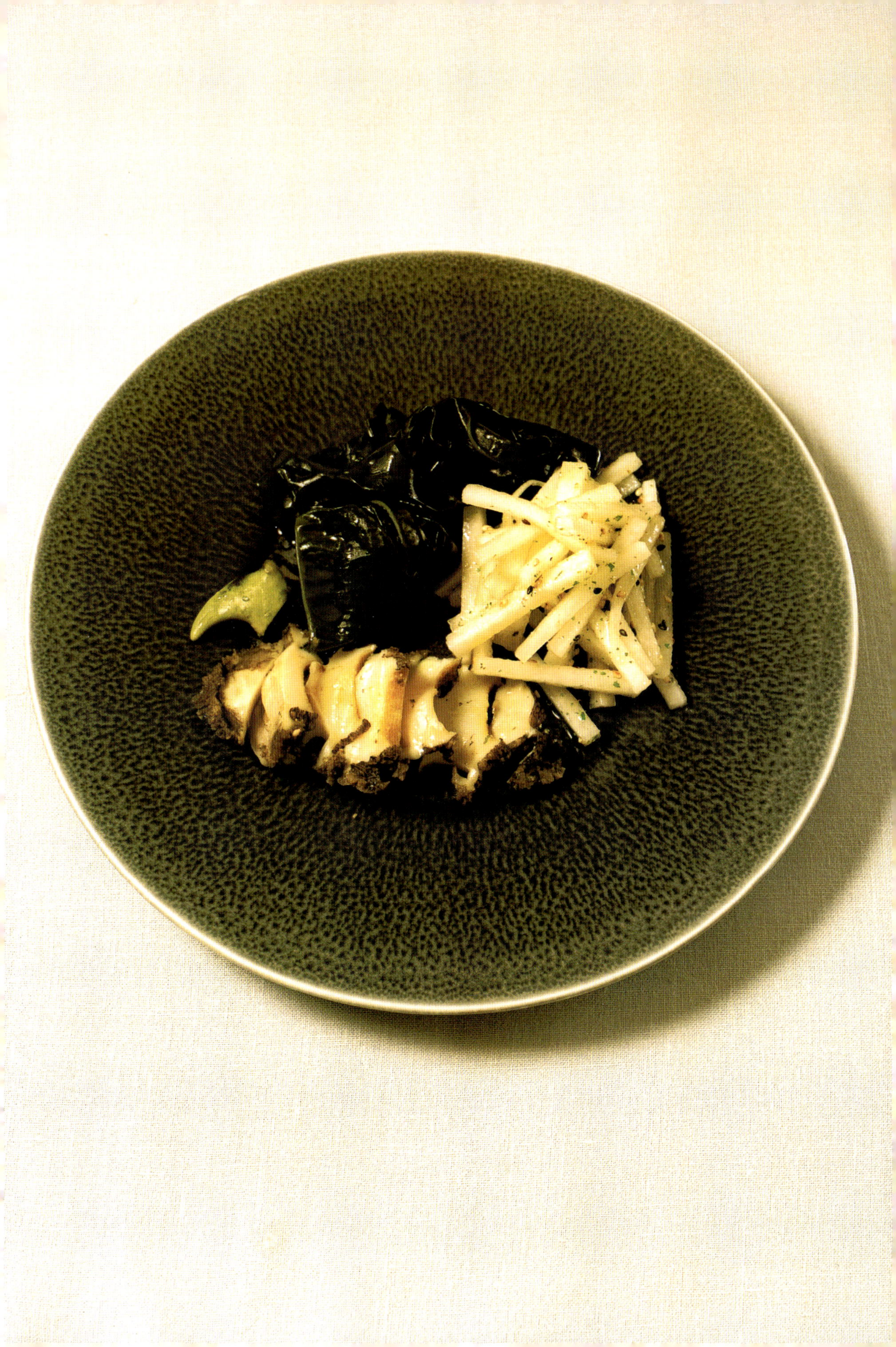

# Pavé de morue au curry
## たらのパベ カレー風味

les ingrédients pour 2 personnes

たらの切り身　2枚
カレーパウダー　小さじ1
オリーブオイル　大さじ1
玉ねぎのみじん切り　大さじ2
白ワイン（または水）　70ml
生クリーム　80ml
塩・こしょう　各適量

［付け合わせ］
ライス（白米）　200g
干しレーズン　大さじ1
煎ったアーモンドのスライス
　大さじ1
パセリのみじん切り　少々
プチトマト　2個

recette 1
たらの切り身から皮を取り除き、カレーパウダー小さじ½と塩、こしょうで両面に下味をつける。

recette 2
熱したフライパンにオリーブオイルを入れ、1に軽く焼き色をつけるように弱火でゆっくりと火を通す。焼き色がついてからたらを裏返してふたをし、蒸すようにして火を通す。

recette 3
残ったカレーパウダー、玉ねぎを2に加えて炒める。

recette 4
白ワイン（または水）を加える。白ワインがなくなる直前まで強火で煮つめる。

recette 5
生クリームを加え、とろみが出るまで強火で3〜4分おいてから、たらを取り出す。

recette 6
仕上げ
干しレーズンを水で戻し、熱いライスに混ぜる。盛りつけたライスの上にたらをのせ、上から5のソース、アーモンド、パセリをかけて6つに切ったプチトマトを飾る。

point *
白ワインがない場合は水で代用しても大丈夫です。また、香りをより出したい人は白ワインを30ml足してください。

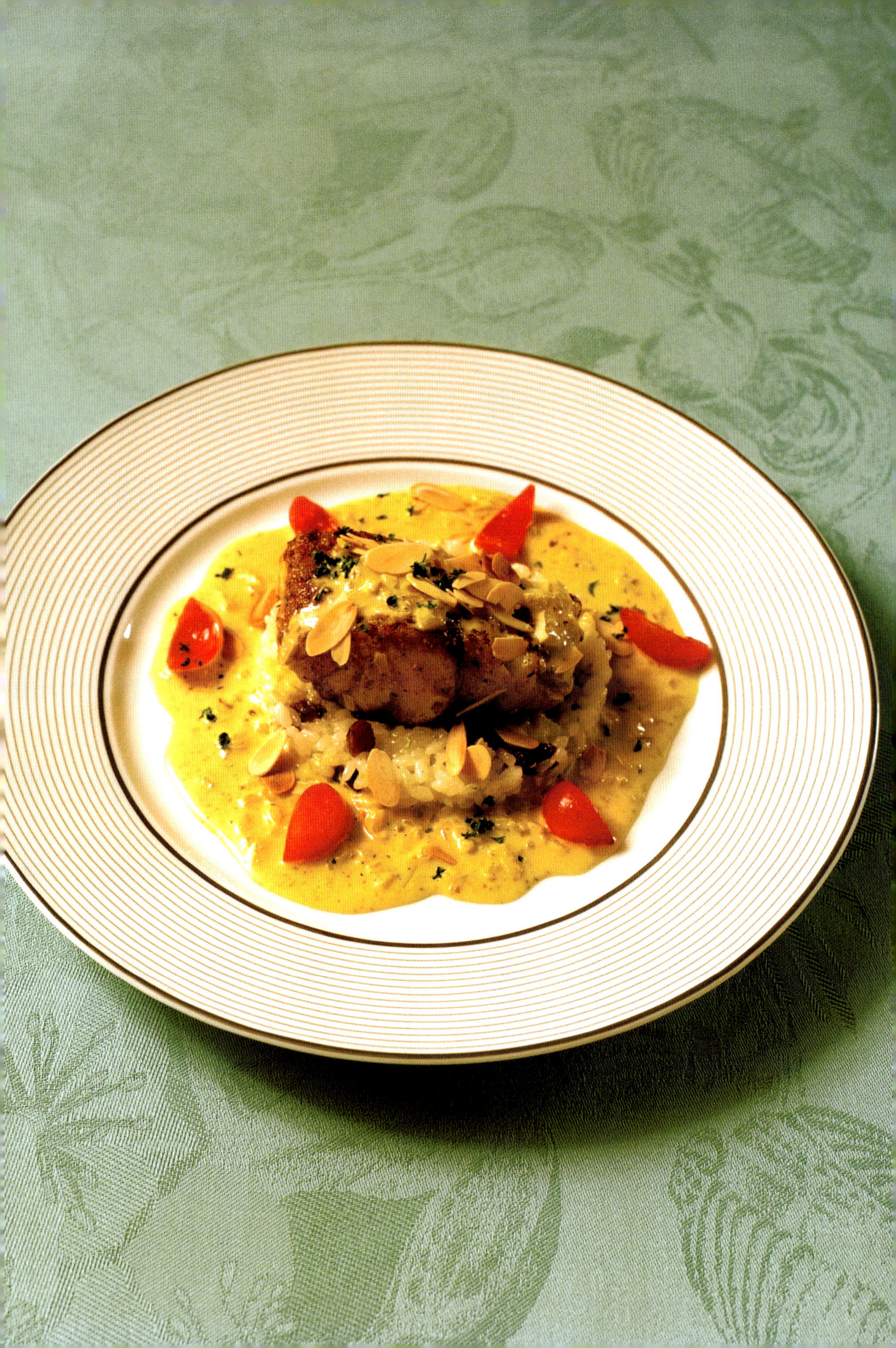

# Escargot de mer sauté aux amandes éligui et pousse de bambou
## つぶ貝のソテー アーモンドとたけのこ添え

les ingrédients pour 2 personnes

| つぶ貝のむき身　6個
| エリンギ　1本
| たけのこ(ゆでたもの)　½本
| オリーブオイル　大さじ2
| バター　50g(20g + 30g)
| 煎ったアーモンドのスライス
|　　大さじ2
| レモンの絞り汁　小さじ1
| ゆずポン酢　30ml
| フォンドボー　50ml
| パセリのみじん切り　大さじ1
| 塩・こしょう　各適量

recette 1
ゆでたつぶ貝を筋にそって半分に切り、内臓を取り出して洗ってから、さらに薄くスライスする。

recette 2
エリンギとたけのこを3cm長さ、3mm幅の棒状に切る。

recette 3
熱したフライパンにオリーブオイルとバター20gを入れてとかし、エリンギとたけのこを焼き色がつくまで強火で炒める。塩、こしょうで下味をつける。

recette 4
1を加えてさっと火を通したのち、バター30gとアーモンドのスライスを入れて焼き色をつける。

recette 5
レモンの絞り汁とゆずポン酢をそれぞれ加えて、軽くとろみが出るまで煮つめる。

recette 6
煮つまってきたらフォンドボーとパセリ少々を加える。

recette 7
仕上げ
6を皿に盛りつけてから、残りのパセリをふりかける。

point
*
つぶ貝は早く炒めないとかたくなるので、手早く料理するのがコツですよ！

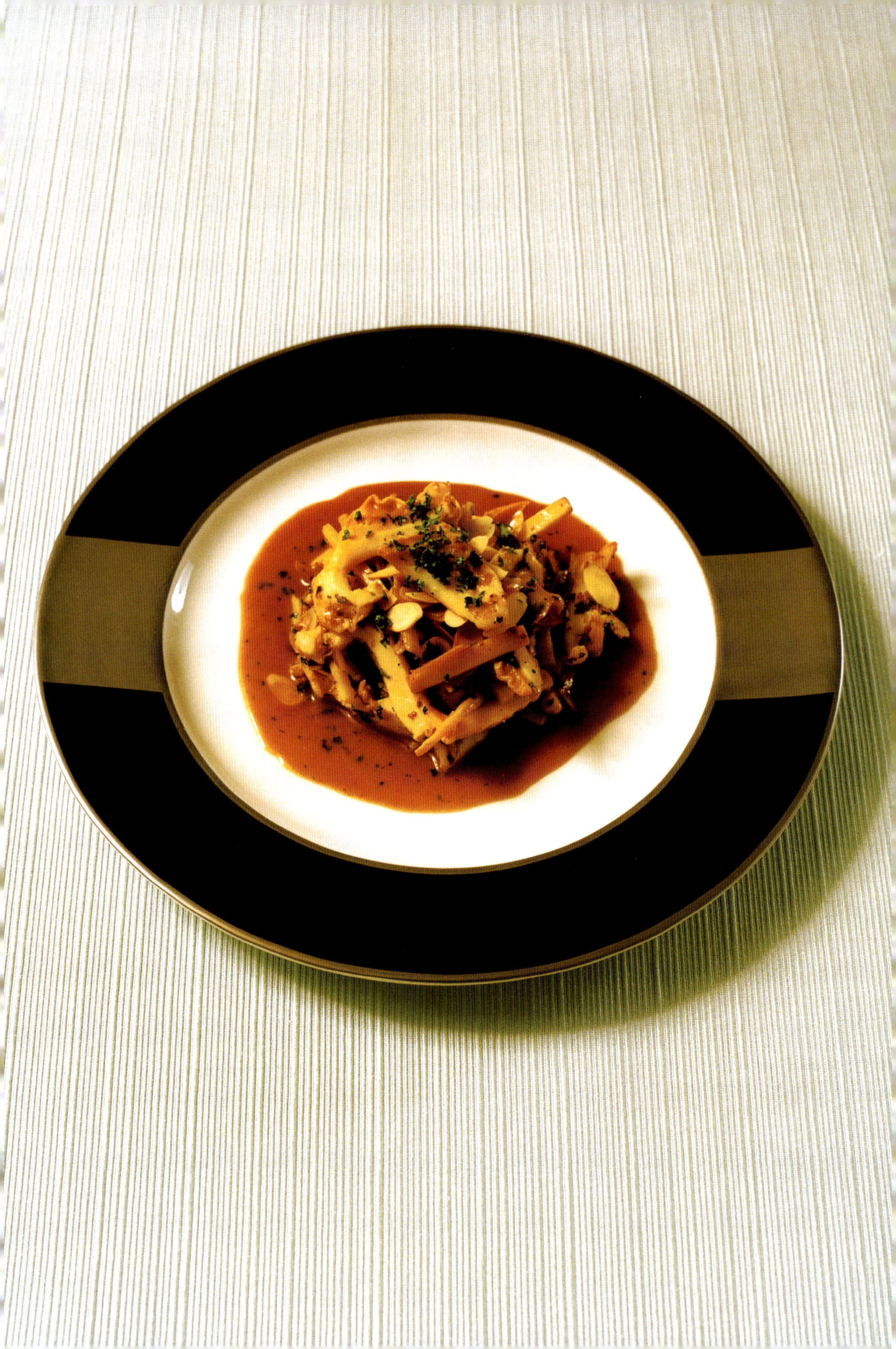

# Hachis de Chinchard au gingembre et basilic en friture

あじのフリチュール しょうがとしそ風味

les ingrédients pour 2 personnes

あじ　1尾
玉ねぎのみじん切り　1/3個分
パセリのみじん切り　大さじ1
おろししょうが　小さじ1
パン粉　大さじ2
卵　1個
しその葉　12枚
揚げ油　適量
　（フライパンに2cm程度）
煮つめたバルサミコ酢　適量
レモン　1/4個
塩・こしょう　各適量

recette 1
三枚におろしたあじの切り身から皮を取る。

recette 2
1を刻んでボウルに入れる。

recette 3
2に塩、こしょう、玉ねぎ、パセリ、しょうが、パン粉、卵を加えて混ぜ合わせる。

recette 4
よく混ぜた3を、しその葉にのせる。その上にもう1枚しその葉を重ねて挟む。

recette 5
140度に熱した揚げ油で4を揚げる。3〜4分ほどで裏返して揚がり具合を確認し、フライパンから取り出す。

recette 6
仕上げ
5の油をきり、皿に盛りつける。煮つめたバルサミコ酢をかけ、くし形に切ったレモンを添える。

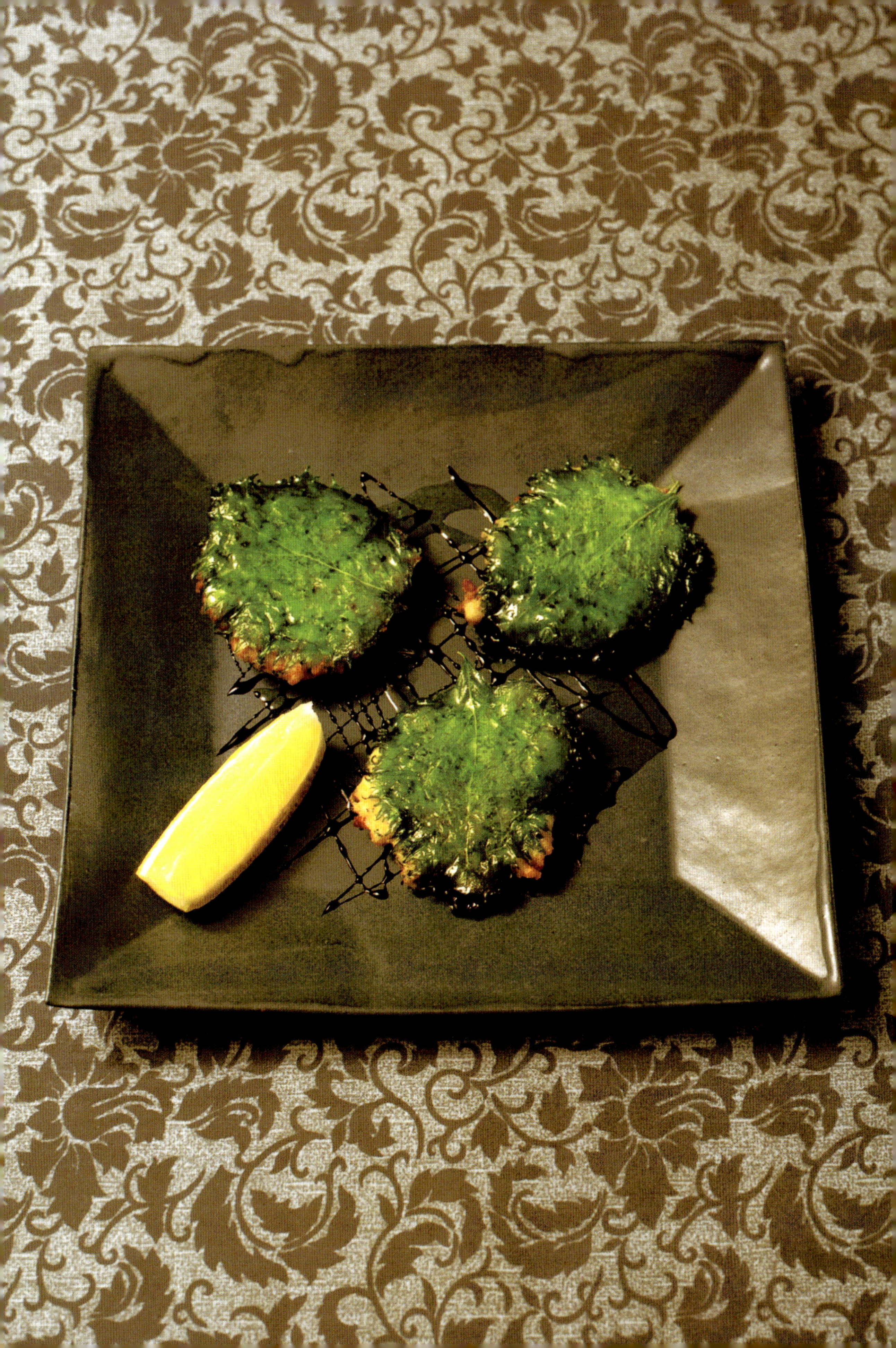

# Minute d'espadon au thon
## かじきのミニッツステーキ ツナソース

les ingrédients pour 2 personnes

| かじきの切り身　200g
| 水菜　1株
| トマトの角切り　大さじ1
| 塩・こしょう　各適量
|
| ［ソース］
| ツナ缶　50g
| 赤ワインビネガー　小さじ1
| オリーブオイル　20ml
| マヨネーズ　大さじ2
| 水　40ml

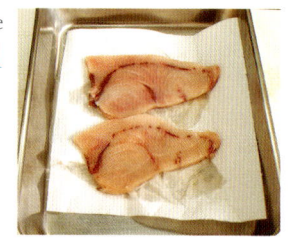

recette 1
かじきの切り身を2枚に薄くスライスする。

recette 2
ツナ、赤ワインビネガー、オリーブオイル、マヨネーズ、水を合わせてミキサーにかける。

recette 3
ミキサーの中身を取り出してこし器でこし、できたツナソースを皿に敷いておく。

recette 4
かじきのスライスをフライパンで手早く炒め、塩、こしょうで味つけしてから3のソースの上に盛りつける。

recette 5
仕上げ
食べやすい大きさに切った水菜を盛りつけ、トマトで飾る。

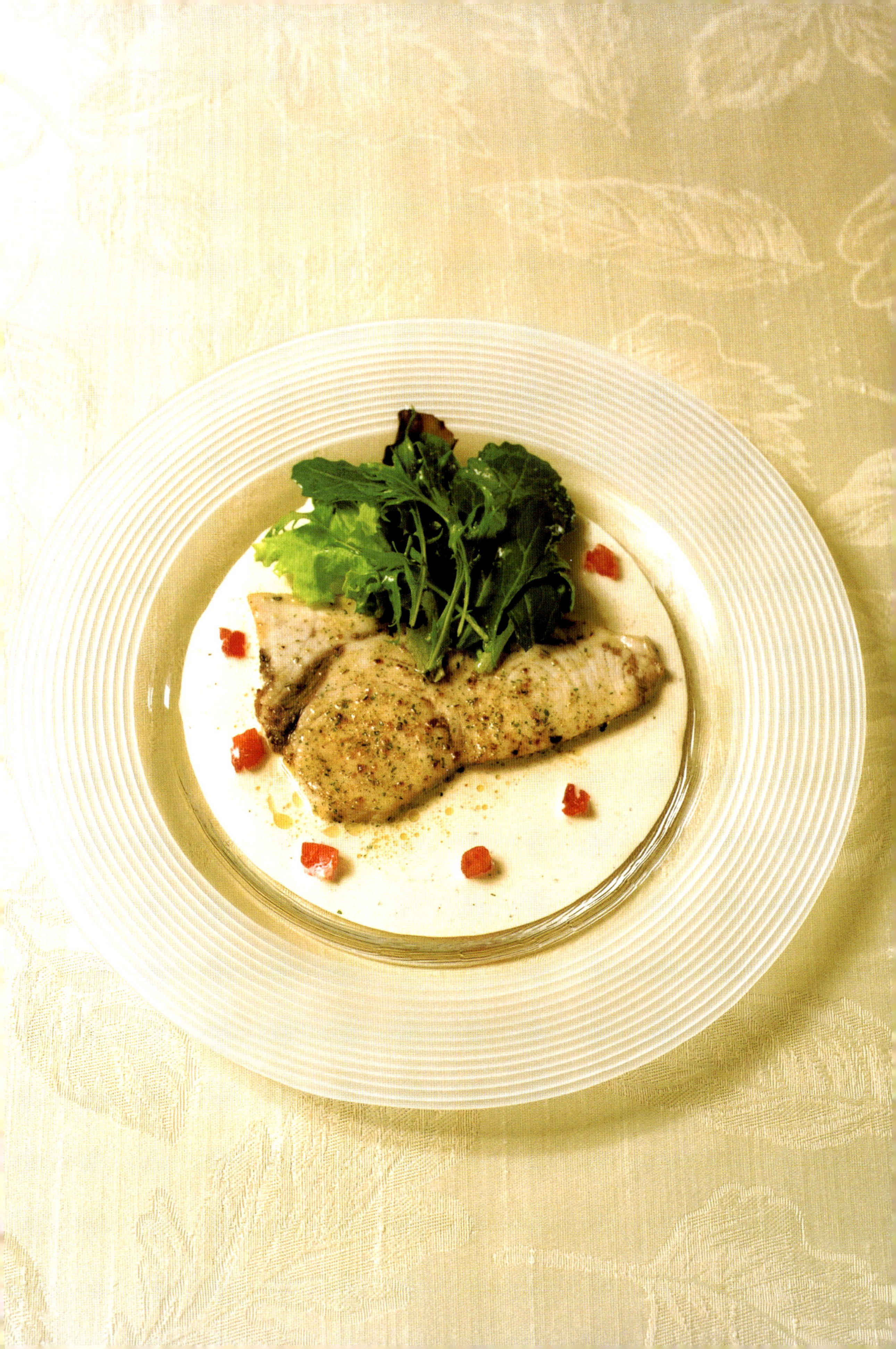

# Minute de poisson aux agrumes
## 白身魚のミニッツステーキ ゆず風味

les ingrédients pour 2 personnes

白身魚(鯛、かれい、舌びらめなど)
　の切り身　2切れ
ほうれん草　1把
バター　60g(10g + 50g)
小麦粉　大さじ1
ゆずポン酢　60ml
塩・こしょう　各適量

recette 1
ほうれん草は洗って水気をきり、バター10gをとかしたフライパンに入れる。きれいな緑色を保つように注意しながら、塩、こしょうで味つけして、やわらかくなるまで炒めて取り出しておく。

recette 2
魚に塩、こしょうで下味をつけ、小麦粉をまぶす。熱したフライパンにバター50gを入れ、焼き色がつくまで魚を弱火で焼く。

recette 3
裏返して同じように焼き色がつくまで弱火で焼く。

recette 4
フライパンのバターが焦げないように注意しながら、強火にする。ゆずポン酢でデグラセして、軽く煮つめる。

recette 4
仕上げ
皿の中央にほうれん草を敷き、その上に魚を盛りつけて、フライパンに残ったソースをかける。

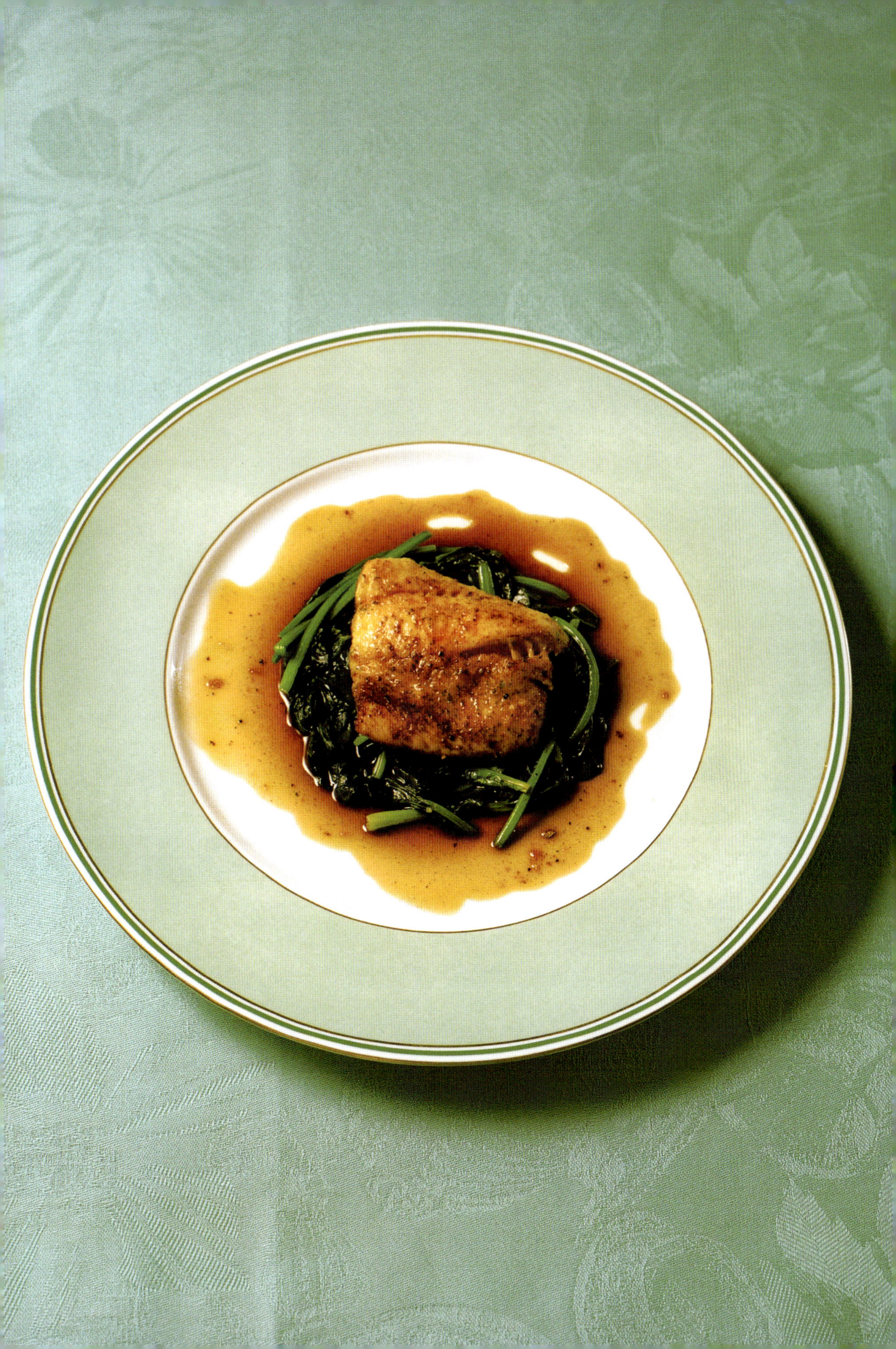

# Dorade poêlée au gingembre
鯛のポワレ しょうが風味

les ingrédients pour 2 personnes

鯛の切り身　2切れ
オリーブオイル　小さじ1
キャベツの葉　4枚
塩（ゆでる用）　少量
バター　30g
水　10ml
塩・こしょう　各適量

［ソース］
しょうゆ　大さじ1
フォンドボー　100ml
赤ワインビネガー　10ml
しょうがのせん切り　20g
バター　20g

recette 1
熱していないフライパンにオリーブオイルをひき、塩、こしょうで下味をつけた鯛を、皮目を下にして入れる。身の部分が完全に白くなるまで、決して裏返さずに弱火で10分ほど焼き、フライパンから取り出しておく。

recette 2
沸騰した湯に塩を入れ、キャベツの葉をゆでる。ゆで終わったらキャベツの芯を切り落とし、バター、水、塩、こしょうと一緒に、湯を捨てたフライパンに戻す。

recette 3
ふたをした状態で弱火にし、10～12分ほど火を通して取り出しておく。

recette 4
フライパンに再び1を入れ、しょうゆ、フォンドボー、赤ワインビネガー、しょうが、バターを入れ、強火で6分ほど火を通す。

recette 5
仕上げ
皿にキャベツの葉を敷き、その上に鯛をのせて、上からフライパンに残ったソースをかける。

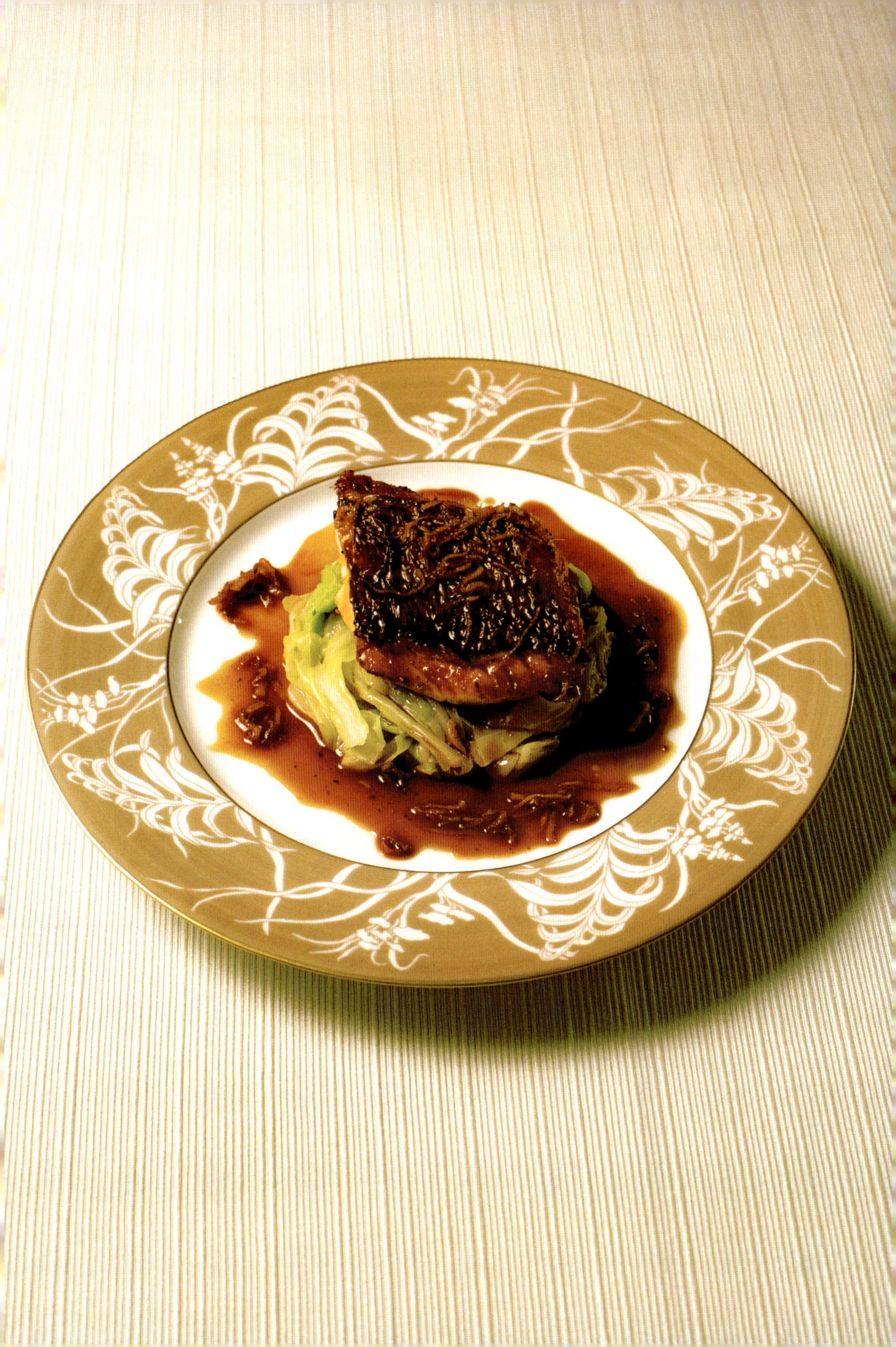

# Tournedos de saumon à la moutarde
## サーモンのトルネードステーキ マスタード風味

les ingrédients pour 2 personnes

| サーモンの切り身　160g |
| ブロッコリー　1株 |
| 塩(ゆでる用)　少量 |
| オリーブオイル　大さじ1 |
| プチトマト　1個 |
| 塩・こしょう　各適量 |

［ソース］
| 粒入りマスタード　大さじ1 |
| 生クリーム　70ml |
| 塩・こしょう　各適量 |

recette 1
サーモンの切り身から皮と脂身を取り除き、2枚に切ってセルクル(またはアルミホイル)の中でくるくると巻く。巻き終わったら塩、こしょうで下味をつける。

recette 2
沸騰した湯に塩を入れてから、小房に分けたブロッコリーをゆでる。色が変わる前に取り出し、氷水につける。

recette 3
熱していないフライパンに1とオリーブオイルを入れ、弱火にかけて火を通す。両面にこんがりとした焼き色がついたら、火を消して5分ほどおき、フライパンから取り出しておく。

recette 4
フライパンにマスタードと生クリームを入れて2分ほど火を通し、塩、こしょうで味つけしてソースを作る。

recette 5
小さいナイフなどでまわりを切り取るようにして、サーモンをセルクル(またはアルミホイル)からはずす。

recette 6
仕上げ
皿に4のソースを敷いてから、5のサーモンをその上に置く。角切りにしたプチトマトと水気をきった2を盛りつける。

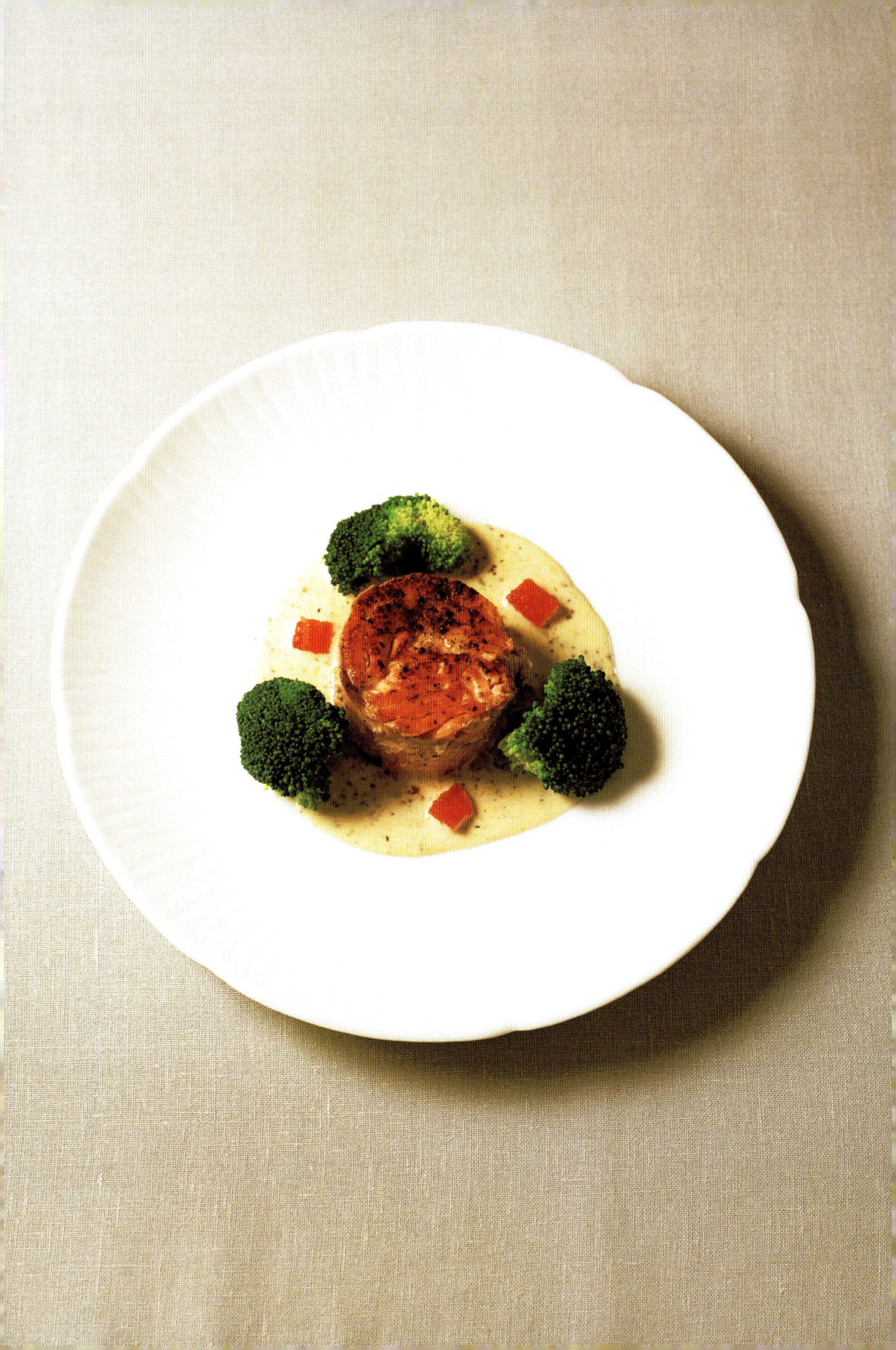

# Coquilles Saint-Jacques aux shiitakes
## ほたてのしいたけ添え

les ingrédients pour 2 personnes

ほたて　6個
厚めのしいたけ　4枚
パスタ　70g
塩（ゆでる用）　少量
バター　40g
玉ねぎのみじん切り　小さじ1
パセリのみじん切り　小さじ1
生クリーム　100ml
プチトマト　1個
塩・こしょう　各適量

recette 1
塩を入れた熱湯でパスタをゆで、水につけて冷やしておく。

recette 2
しいたけは軸を取ってスライスする。

recette 3
熱したフライパンにバターをとかし、塩、こしょうで下味をつけたほたてを、両面にこんがり焼き色がつくまで強火で炒める。

recette 4
3にしいたけ、玉ねぎ、パセリを加えて炒める。

recette 5
4に水気をきった1のパスタを加えて炒める。生クリームを入れてから塩、こしょうで味つけをして煮つめる。

recette 6
仕上げ
5を深皿に盛りつけて、ひし形に切ったプチトマトを飾る。

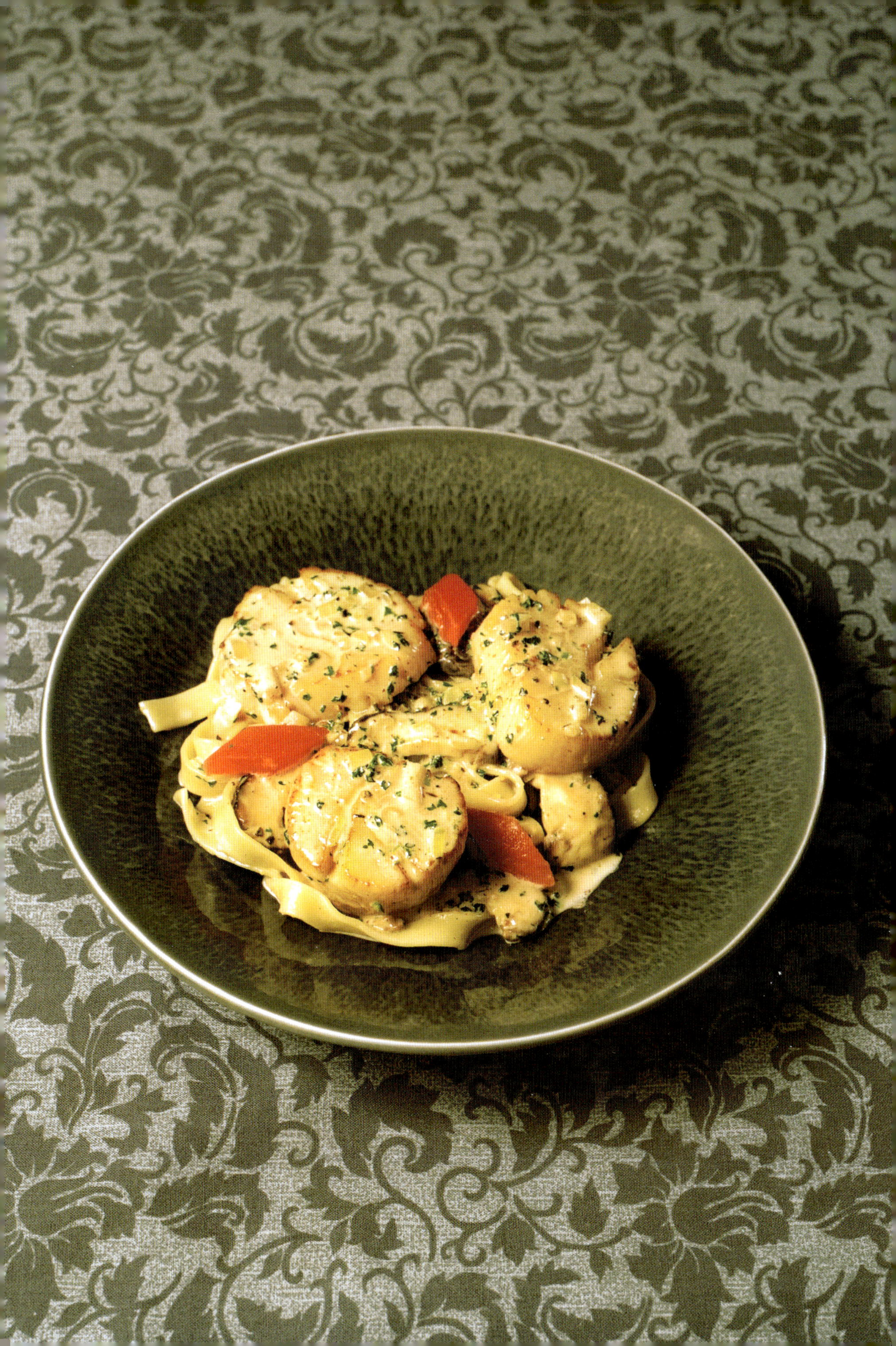

# Chinchards à la tomate
## あじのトマト風味

les ingrédients pour 2 personnes

| あじ　2尾（または切り身　4切れ）
| 小麦粉　大さじ1
| オリーブオイル　大さじ1
| にんにくのみじん切り　1かけ分
| 玉ねぎのみじん切り　大さじ1
| 砂糖　小さじ½
| 酢　大さじ1
| しょうゆ　小さじ1
| トマトジュース　140ml
| マッシュルーム　2個
| パセリ（またはしそ）のみじん切り
|   大さじ1
| 塩・こしょう　各適量

recette 1
あじの頭と内臓を取って洗い、キッチンペーパーなどで水気をとっておく。塩、こしょうで下味をつけ、小麦粉をまぶす。そのとき余分な小麦粉は軽くはたいて落としておく。

recette 2
熱したフライパンにオリーブオイルを入れ、1を中火で軽く焼く。

recette 3
にんにくと玉ねぎを加え、色づくまでさらに弱火で焼く。色づいたら砂糖、酢、しょうゆを加えて煮つめる。

recette 4
煮つまったらトマトジュースを加える。

recette 5
続けてスライスしたマッシュルーム、パセリ少々を加える。

recette 6
ふたをして、さらに中火で5分ほど煮る。

recette 7
仕上げ
火からおろし、そのまま冷ましてから、皿に盛りつける。残りのパセリをふりかける。

point
*
温かい料理を味わうなら付け合わせにはライスを。冷たい料理ならばサラダ菜を添えるとおいしいですよ。

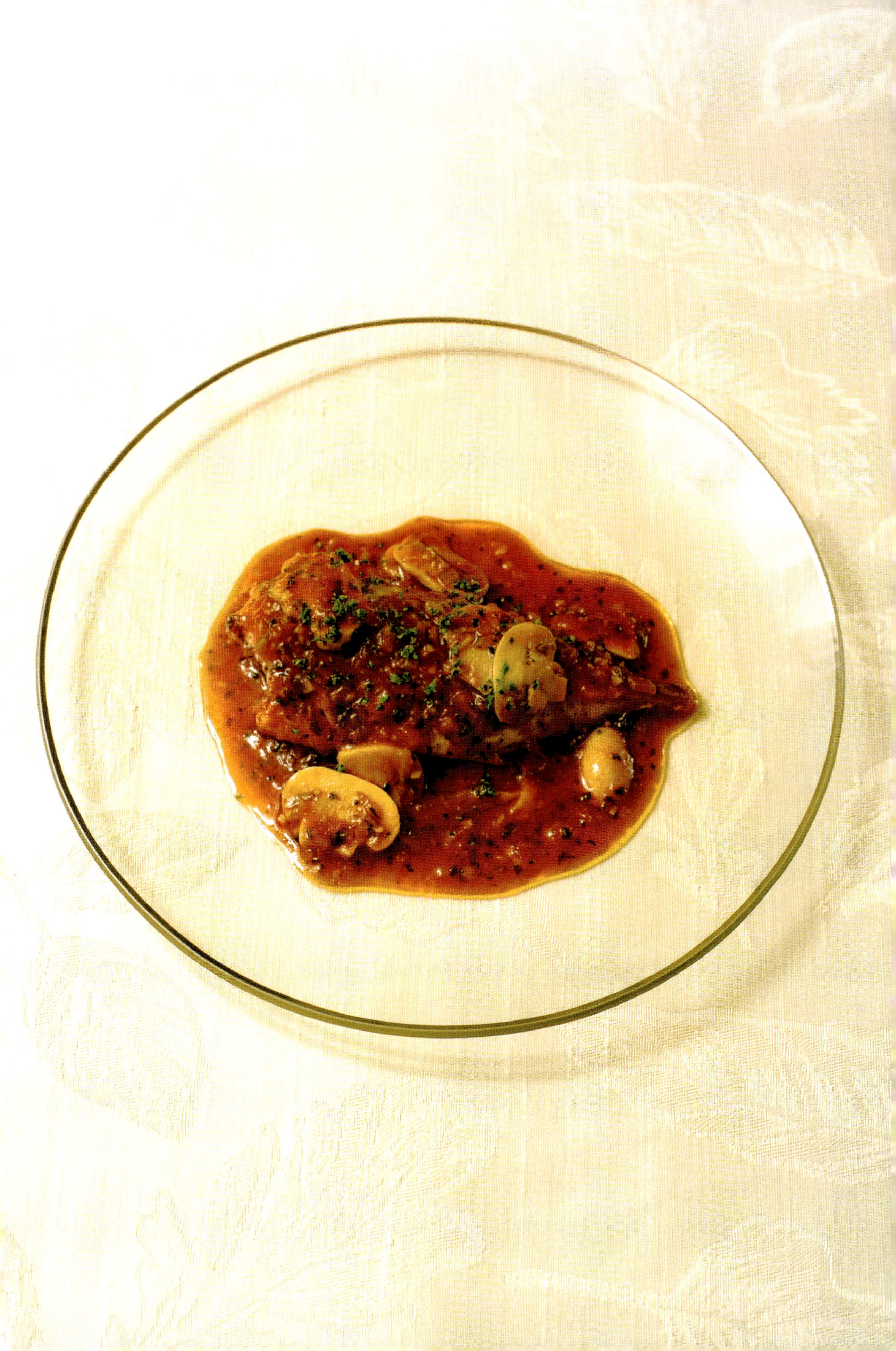

「お手軽感 No.1」のデザート

# Dessert

温かくて、見た目もきれいなお手軽スイーツ

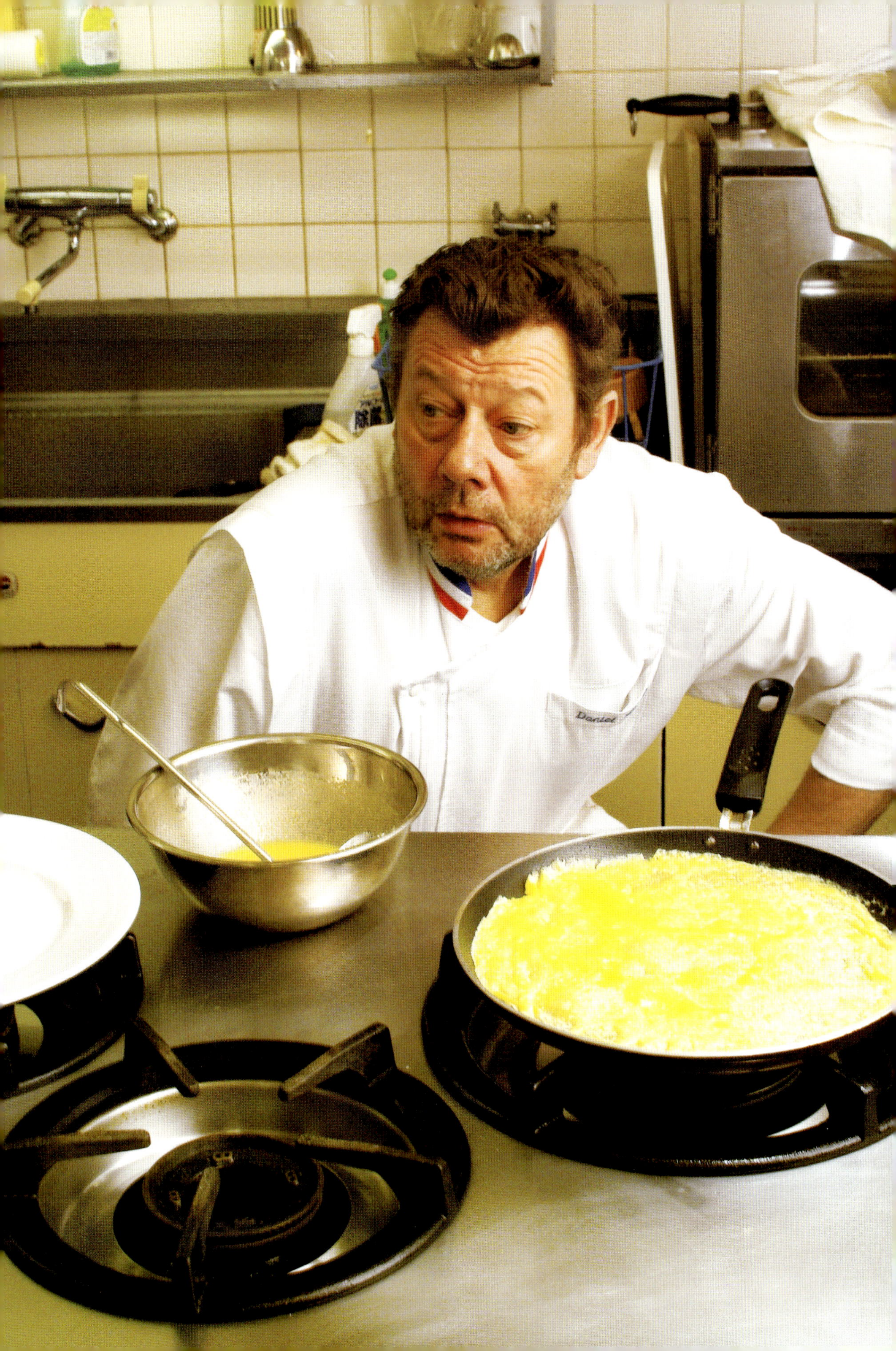

Dessert

「舌」がよろこぶデザートの食べ方

「アバンデセール」という言葉をご存じでしょうか？

「avant dessert(=before dessert)」つまり「デザートの前」という意味の言葉で、メイン料理とデザートのあいだに口にする料理のことを指します。

日本でフランス料理のコースを食べる場合、多くのデザートはメイン料理のすぐ後に運ばれますが、フランスではメイン料理の後にデザートは食べません！　多くの人がサラダかチーズを口にします。

メイン料理にはワインが添えられますし、口に酸味が強く残ります。ということは「舌」にもそれだけ強い味が残っているもの。そこにアイスクリームのような甘みのあるものを口にしても、その甘みを十分に味わうことができないのです。サラダやチーズは口を自然な状態に戻すための、いわば「お口直し」と思っていただければわかりやすいでしょう。

そこで今回は、「いちごのポワレ」「さくらんぼのロワイヤル風」など、メインディッシュの後に食べても違和感のない「アバンデセールのデザート」もレシピに盛り込んでおきました。これらは酸味の入ったデザートになっているので、メインで酸味のあるソースを味わったとしても、酸味からゆっくりと舌が慣れていき、最後には十分な甘みが楽しめるようになっています。

もしよろしければ、あなたも「舌がよろこぶデザートの食べ方」を試してみてください。

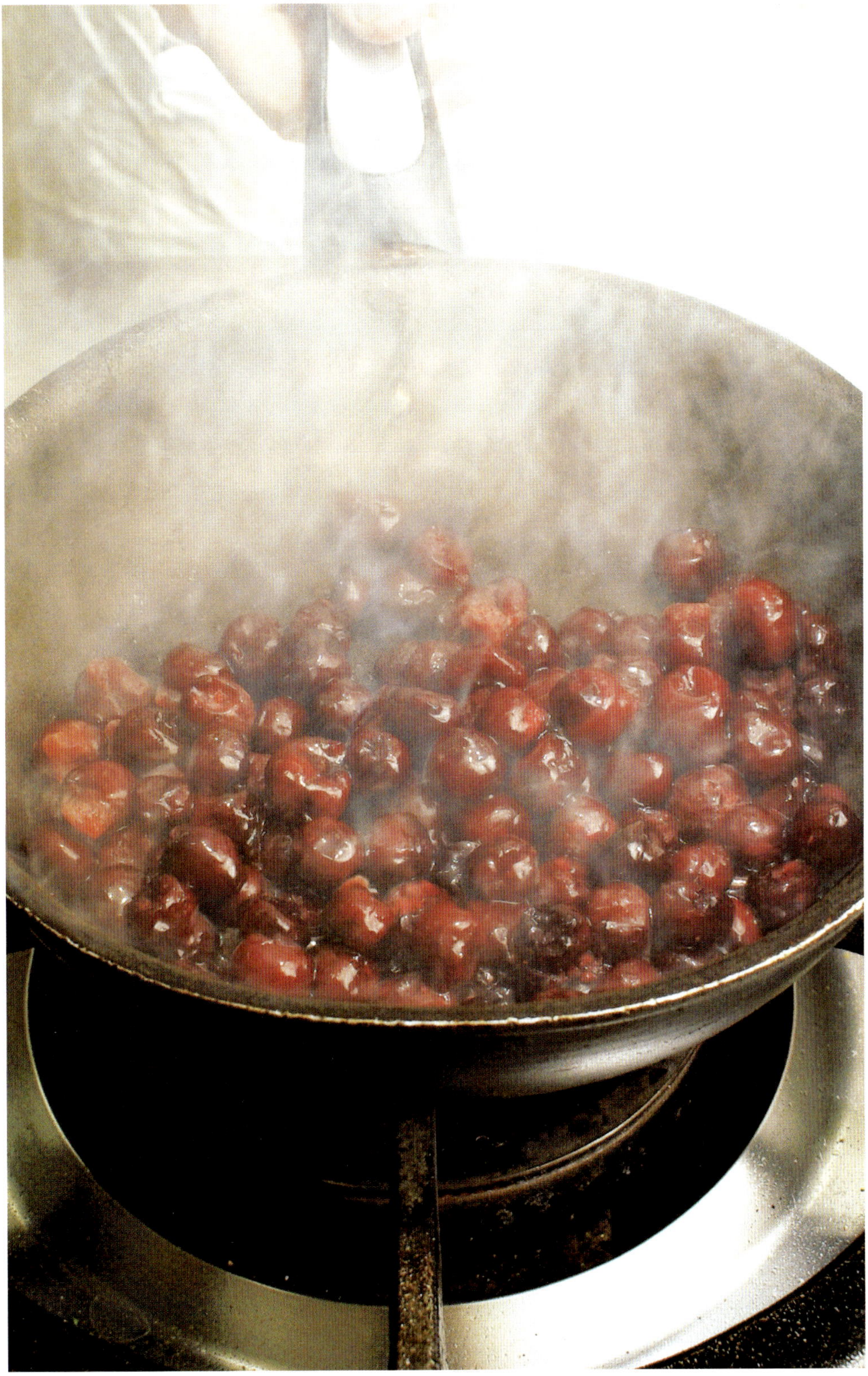

# Cerise à la royale
## さくらんぼのロワイヤル風

les ingrédients pour 2 personnes

生のさくらんぼ(種を除いたもの)
　　150〜200g
バター　20g
砂糖　20g
赤ポルト酒　100ml
生クリーム　100ml

[飾りつけ]
ミントの葉　2枚

recette 1 
熱したフライパンにバターをとかしてから砂糖を加え、強火でキャラメルを作る。

recette 2 
キャラメル状になってきたら中火にし、さくらんぼを入れて転がし、キャラメリゼする。

recette 3 
赤ポルト酒を加えて3〜4分中火のまま煮つめる。

recette 4 
生クリームを加えてさらに2〜3分煮つめる。

recette 5
仕上げ
深皿に4を盛りつけ、ミントの葉を飾れば完成。

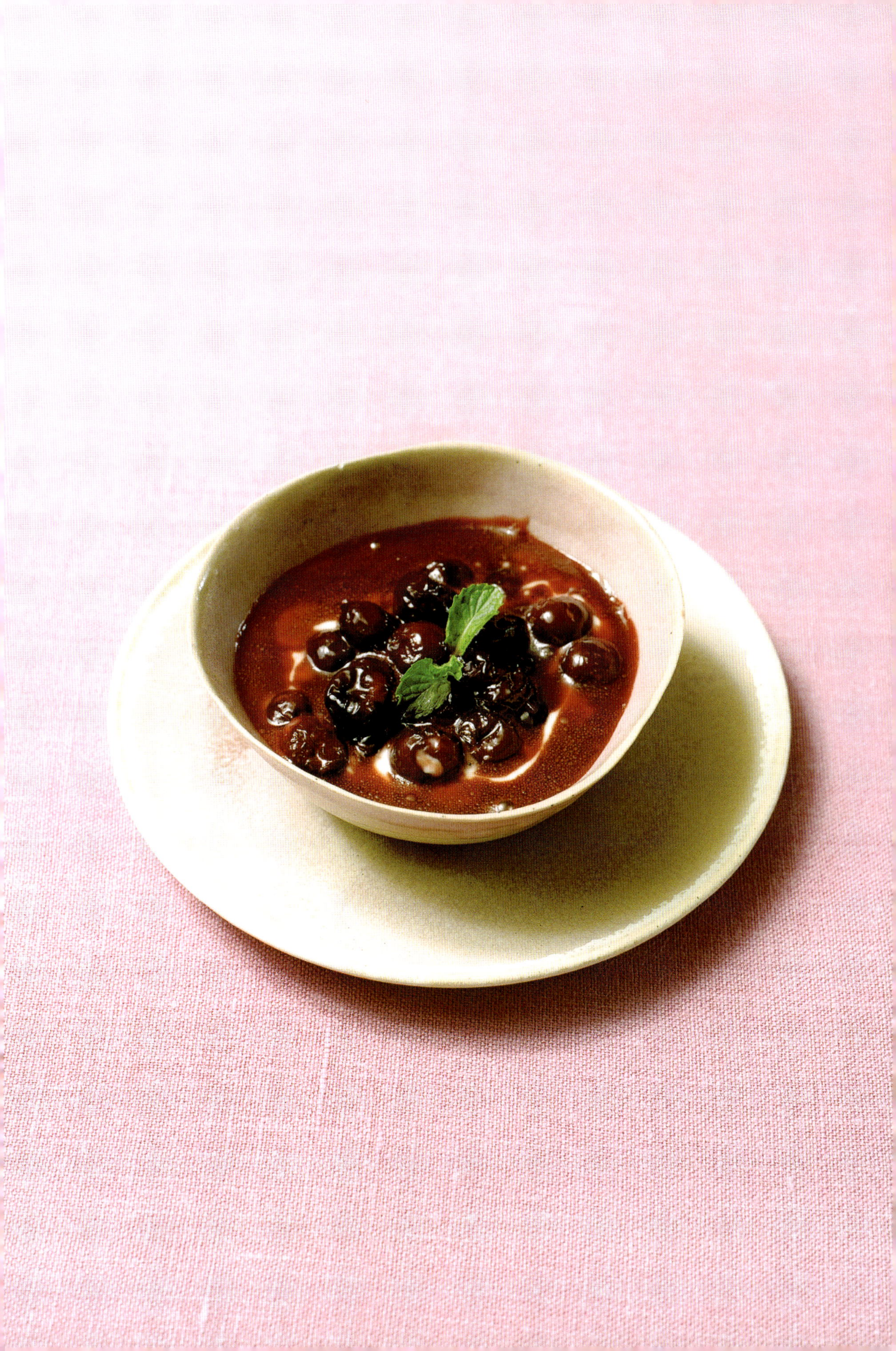

# Tarte chaude aux figues
いちじくの温かいタルト

les ingrédients pour 2 personnes

いちじく　3個
ホットケーキミックス　200g
砂糖　35g(30g + 5g)
卵　2個
牛乳　200ml
生クリーム　100ml
アーモンドのスライス　ひとつまみ
サラダオイル　小さじ1
バター　5g

［ソース］
いちご　2個
オレンジジュース(できればブラッドオレンジジュース)　100ml
砂糖　20g

recette 1
いちごをおよそ1cm角に切り、砂糖、オレンジジュースとともにフライパンに入れ、半分の量になるまで中火で煮つめる。

recette 2
ホットケーキミックス、砂糖30g、卵、牛乳、生クリームを加えて混ぜる。

recette 3
丸いセルクルの底にアーモンドを敷き、フライパンにサラダオイルを加えてから、2の生地をセルクルの中に入れて弱火で焼く。

recette 4
生地が少し固まったことを確認してから、その上にいちじくのスライスを並べ、バター、砂糖5gをフライパンに加える。

recette 5
4を裏返してキャラメリゼし、生地が固まったら取り出してセルクルをはずす。

recette 6
仕上げ
5を皿の中央に盛りつけ、そのまわりに1のソースをあしらう。

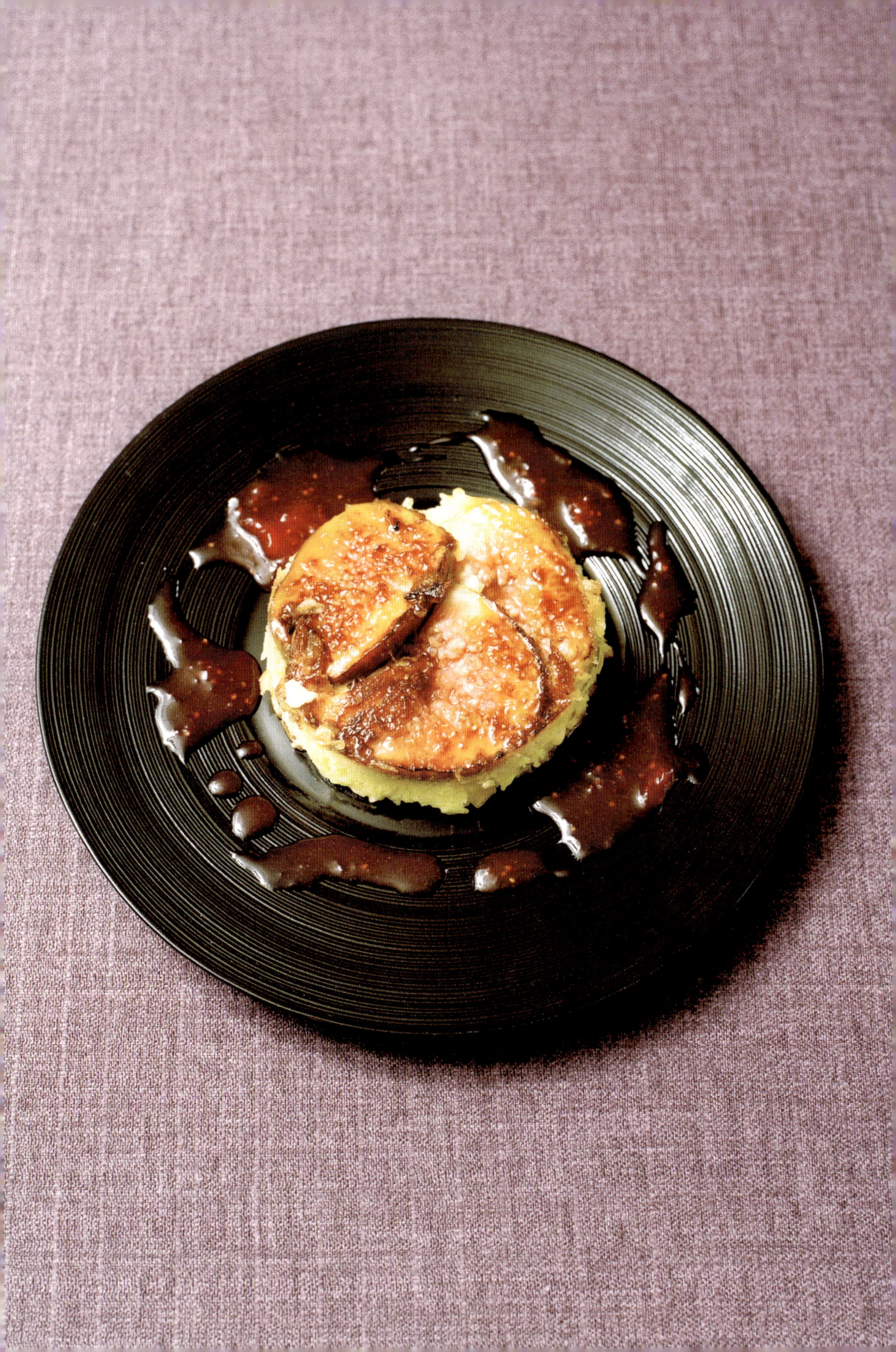

# Omelette frambée aux bananes
バナナのオムレット

les ingrédients pour 2 personnes

| バナナ　1本
| 卵　2個
| 砂糖　30g
| バター　10g
| 生クリーム　20ml
| 粉砂糖　適量

recette 1
ボウルに卵と砂糖を入れてよく混ぜる。

recette 2
バナナを2cm角くらいに切る。

recette 3
熱したフライパンにバターを入れてとかし、1を入れる。

recette 4
すぐに2を入れ、生クリームを加える。

recette 5
4をフライパンの端に寄せてひっくり返し、形を整える。

recette 6
仕上げ
5を皿にのせ、粉砂糖をふる。熱した金属棒(焼き串)を表面に軽くあてて、焼き目をつける。

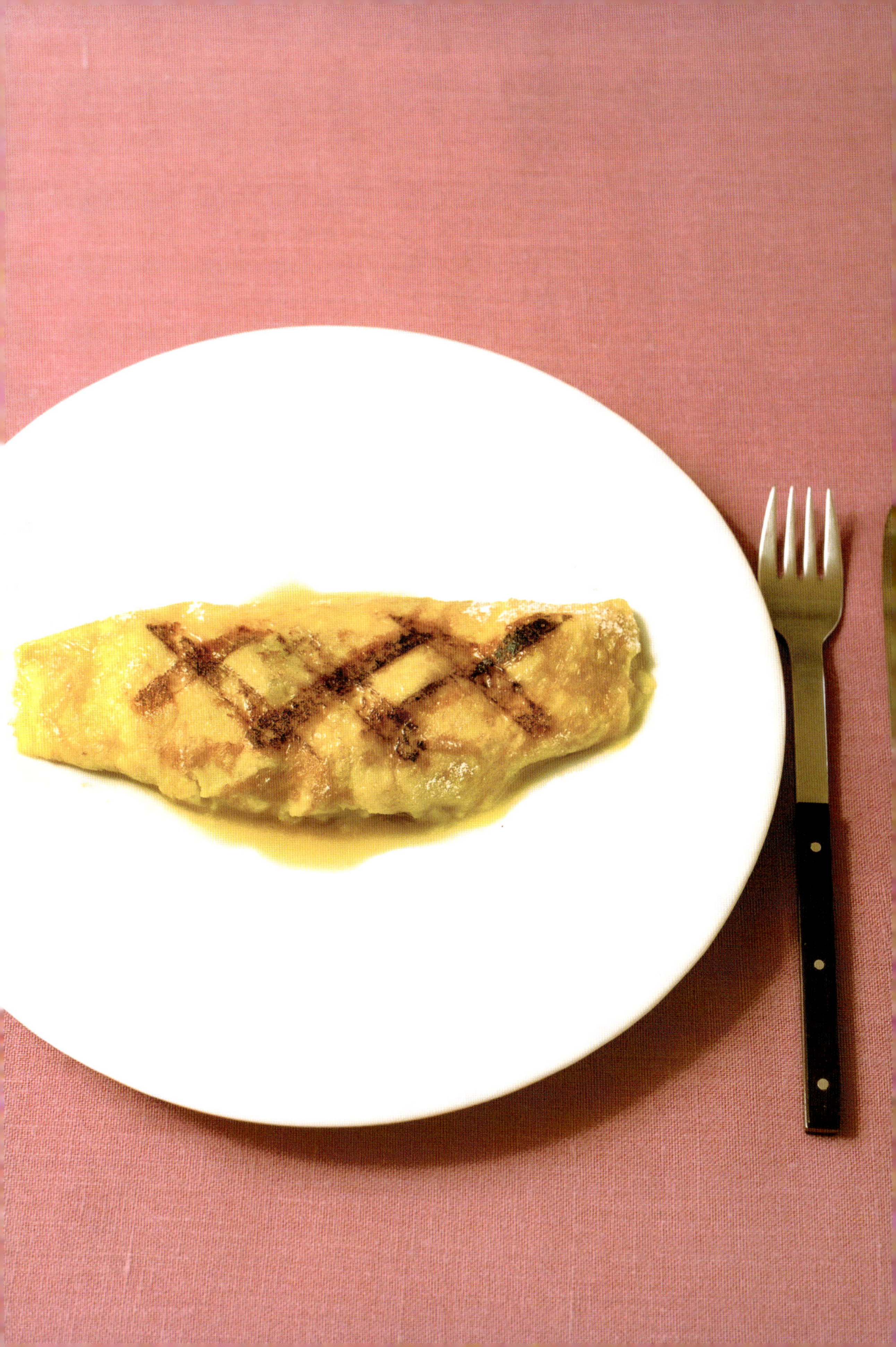

# Pancake aux pommes
りんごのパンケーキ

les ingrédients pour 2 personnes

> りんご　½個
> 卵　1個
> 小麦粉　15g
> ベーキングパウダー　小さじ½
> 砂糖　45g（10g + 15g + 20g）
> 牛乳　100ml
> バター　10g
> カルバドス（お好みで）　10ml
> 粉砂糖　適量
>
> ［飾りつけ］
> りんご　½個

recette 1
ボウルの中に卵を入れて、小麦粉、ベーキングパウダー、砂糖10gを加えて混ぜ合わせる。

recette 2
1に軽く温めた牛乳を加えて混ぜ合わせる。

recette 3
熱したフライパンにバターを入れてとかし、砂糖15gをふり入れてから、直径8〜10cmのセルクルを2個置く。皮をむいて薄くスライスしたりんごをセルクルの中に入れ、色づくまで弱火で5分ほど火を通し、キャラメリゼする。

recette 4
キャラメル状になっている3のりんごの上に、2を流し込んで弱火で焼く。

recette 5
砂糖20gをふりかけて焦げめをつける。

recette 6
固まってきたのを確認して裏返し、セルクルをはずす。そのままカルバドスでフランベする。

recette 7
仕上げ
6を皿に盛りつけ、皮つきのまま薄くスライスしたりんごを添える。最後に、粉砂糖をふりかける。

point *
「だま」ができないように、小麦粉、ベーキングパウダーをふるいにかけておくことがおいしさの秘訣ですよ。

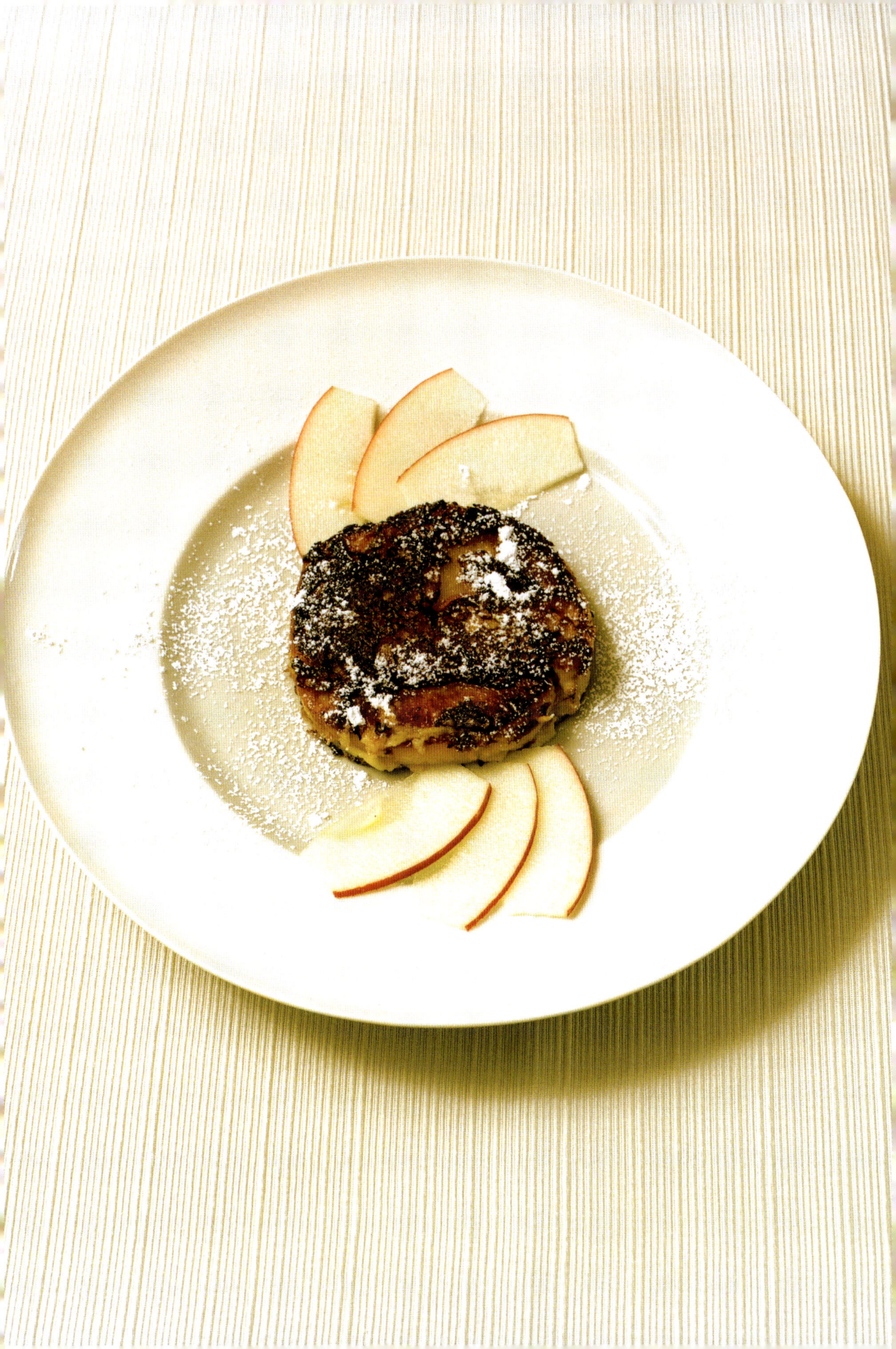

# Crêpe Suzette
## クレープ・シュゼット

les ingrédients pour 2 personnes

| |
|---|
| オレンジ　1個（皮はオレンジバター、飾り用として実と皮の一部） |
| バター　20g（10g＋10g） |
| 卵　1個 |
| 砂糖　42g（12g＋15g＋15g） |
| 小麦粉　20g |
| 牛乳　80ml |
| サラダオイル　大さじ1 |
| グランマルニエ　10ml |
| オレンジジュース　100ml |

［付け合わせ］
バニラアイスクリーム　2ボール分

recette 1
オレンジの皮はおろし金でおろし、それをやわらかくしたバター10gに加えて混ぜる。残りのオレンジは8個に切り分ける。

recette 2
ボウルに卵、砂糖12g、ふるいにかけた小麦粉を入れて混ぜる。

recette 3
2に軽く温めた牛乳を加え、さらに泡立て器で混ぜる。

recette 4
フライパンでとかしたバター10gをその上から加えて混ぜる。これをこし器でこし、冷蔵庫で2時間休ませる。

recette 5
テフロン加工のフライパンにハケやキッチンペーパーでサラダオイルを薄くひき、4を流し入れてクレープを焼く。

recette 6
2〜4分で裏返し、焼けたクレープは四つ折りにして取り出しておく。同様にして、あと3枚焼く。

recette 7
1のオレンジバターをフライパンでとかし、クレープを戻し入れて弱火で温めたら、砂糖15gをふりかけて裏返す。裏面にも砂糖15gをふってキャラメリゼしてから、グランマルニエでフランベする。

recette 8
仕上げ
7にオレンジジュースを加えて1〜2分煮つめてから、ソースごとクレープを皿に盛りつける。上にバニラアイスクリームをのせ、1のオレンジの実と皮の残りを細切りにしたものを飾る。

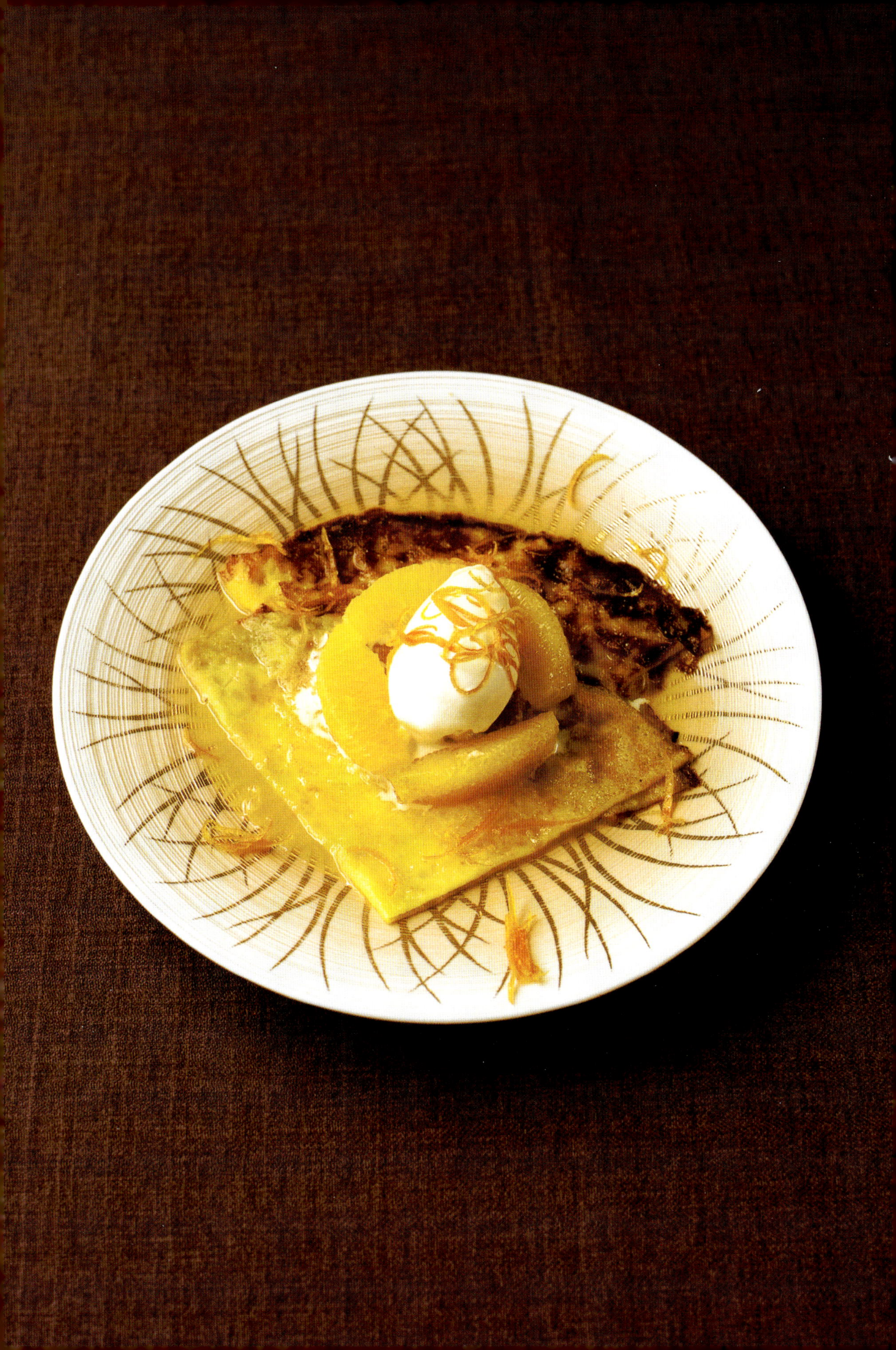

# Poêlée de fraises au vinaigre balsamique
## いちごのポワレ バルサミコ酢風味

les ingrédients pour 2 personnes

いちご　10個
バター　20g
砂糖　30g
バルサミコ酢　20ml
生クリーム　80ml

[飾りつけ]
バニラアイスクリーム　2ボール分
煮つめたバルサミコ酢　少々
バニラビーンズ　1本
ミントの葉　2枚

recette 1
熱したフライパンにバターをとかしてから、へたを取って洗ったいちごを炒め、すぐに砂糖を加える。

recette 2
キャラメル状になるまで、強火でしっかりと焼き、いちごをキャラメリゼする。

recette 3
いちごに焼き色がついたらバルサミコ酢を加えてデグラセする。酢のにおいがたつまで煮つめたら生クリームを加える。

recette 4
生クリームにとろみが出るまで煮つめてから、ソースごといちごを深皿に盛りつける。

recette 5
仕上げ
4の中央にバニラアイスクリームをのせる。煮つめたバルサミコ酢を全体にかけてから、切りこみを入れたバニラビーンズ、ミントの葉を飾る。

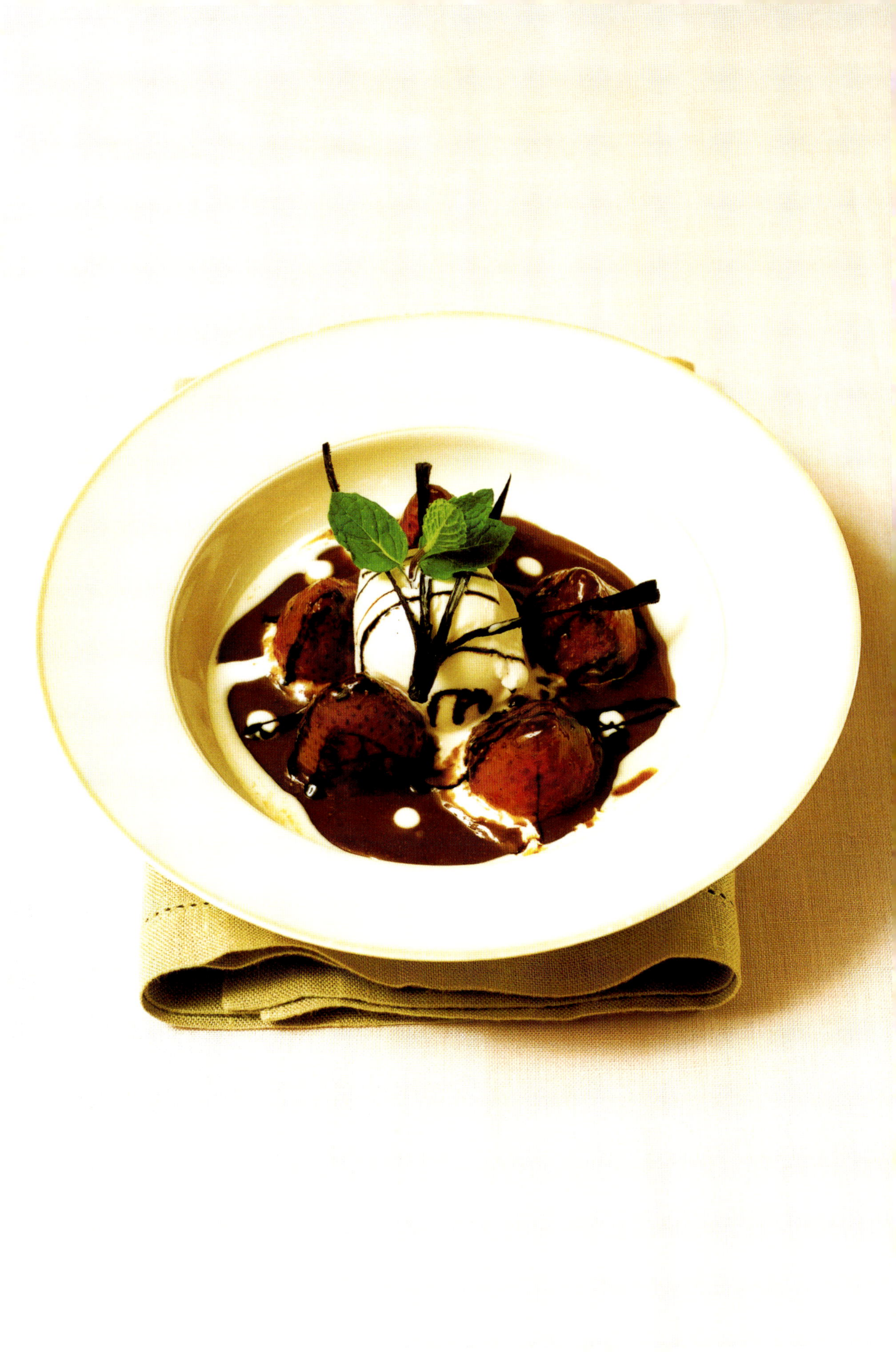

# Ananas poêlé au gingembre
## パイナップルのポワレ しょうが風味

les ingrédients pour 2 personnes

> 生パイナップル　200g
> しょうが　10g
> バター　10g
> 砂糖　20g
> 刻んだアーモンド　大さじ1
> ラム酒　20ml
>
> ［飾りつけ］
> ミントの葉　2枚

recette 1
しょうがを細いせん切りにする。パイナップルはおよそ1cm角に切っておく。

recette 2
熱したフライパンにバターをとかしてから砂糖を加え、強火でキャラメルを作る。

recette 3
キャラメル状になってきたら弱火にし、パイナップルを入れてキャラメリゼする。

recette 4
しょうがと刻んだアーモンドを加えたら中火にし、ラム酒でフランベする。

recette 5
仕上げ
正方形のセルクルなどを使ってパイナップルを盛りつけ、せん切りにしたミントの葉を飾る。皿のまわりにシナモンをふりかける

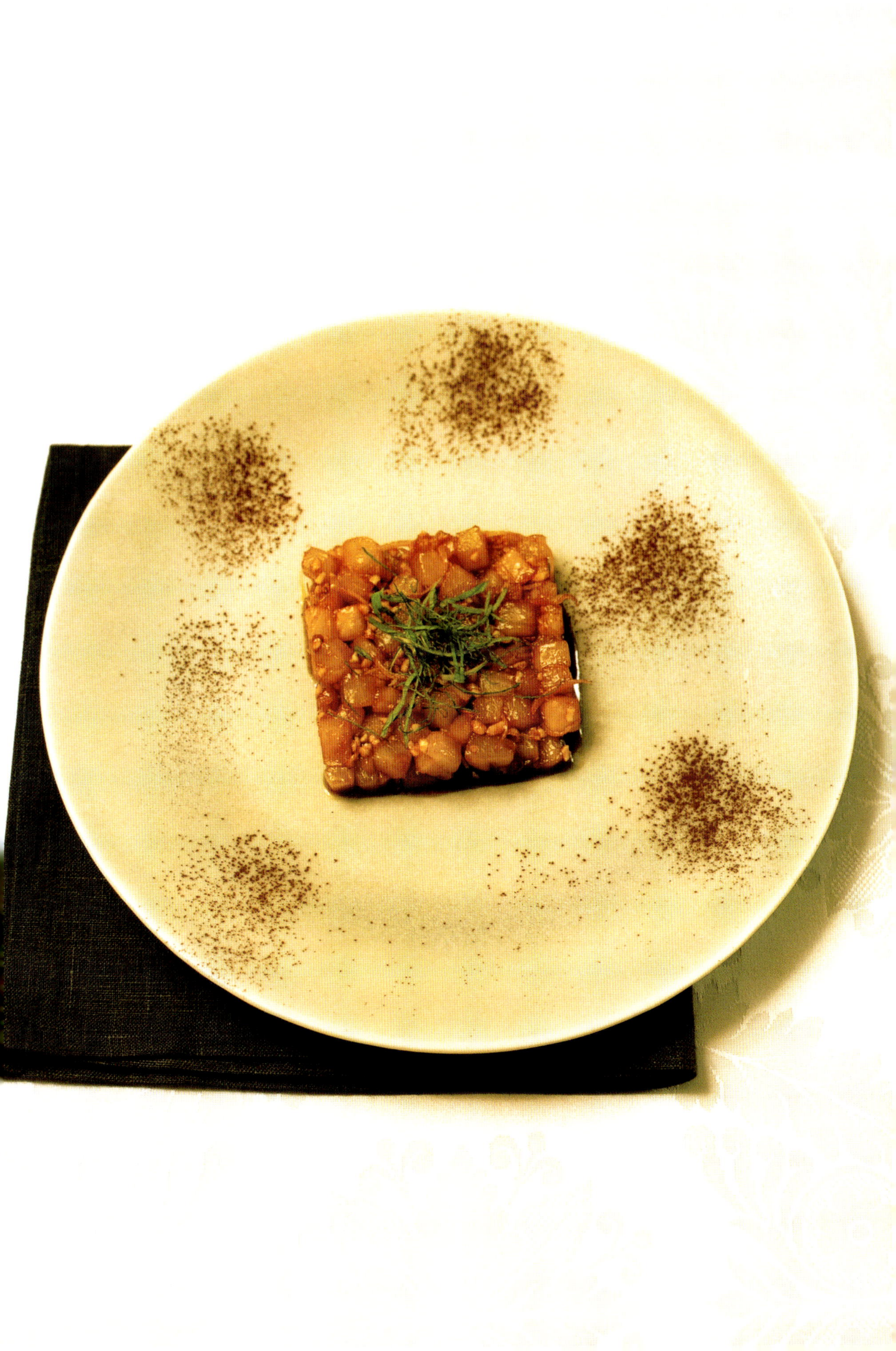

# Pain perdu à la cannelle au sirop d'érable
## シナモンとメープルシロップのフレンチトースト

les ingrédients pour 2 personnes

いちご　4個
りんごのスライス　4枚
キウイ　1/2個
オレンジのスライス　4枚
卵　1個
砂糖　30g
牛乳　50ml
バゲットの薄切り　2枚
バター　20g
シナモン　適量
メープルシロップ（またははちみつ）
　大さじ3

recette 1
フルーツをそれぞれ一口大に切っておく。

recette 2
卵、砂糖、牛乳を混ぜ合わせる。

recette 3
バゲットがやわらかくなるまで2に5分ほど浸す。

recette 4
熱したフライパンにバターを入れ、3のバゲットの両面に焼き色をつける。セルクルを置いてバゲットを入れてから、フルーツの一部をのせ、3の残りの液を加える。

recette 5
弱火でゆっくりと焼いていき、上からシナモンをふる。

recette 6
3〜5分焼いたらセルクルごとフレンチトーストを裏返して、フルーツに軽く火を通す。

recette 7
仕上げ
両面に火が通ったら、残りのフルーツとともに皿に盛りつけ、全体にメープルシロップかはちみつをかける。仕上げにシナモンをふりかける。

point ✱
バゲットは浸しすぎると膨らんでしまうので、目を離さないようにしましょう。

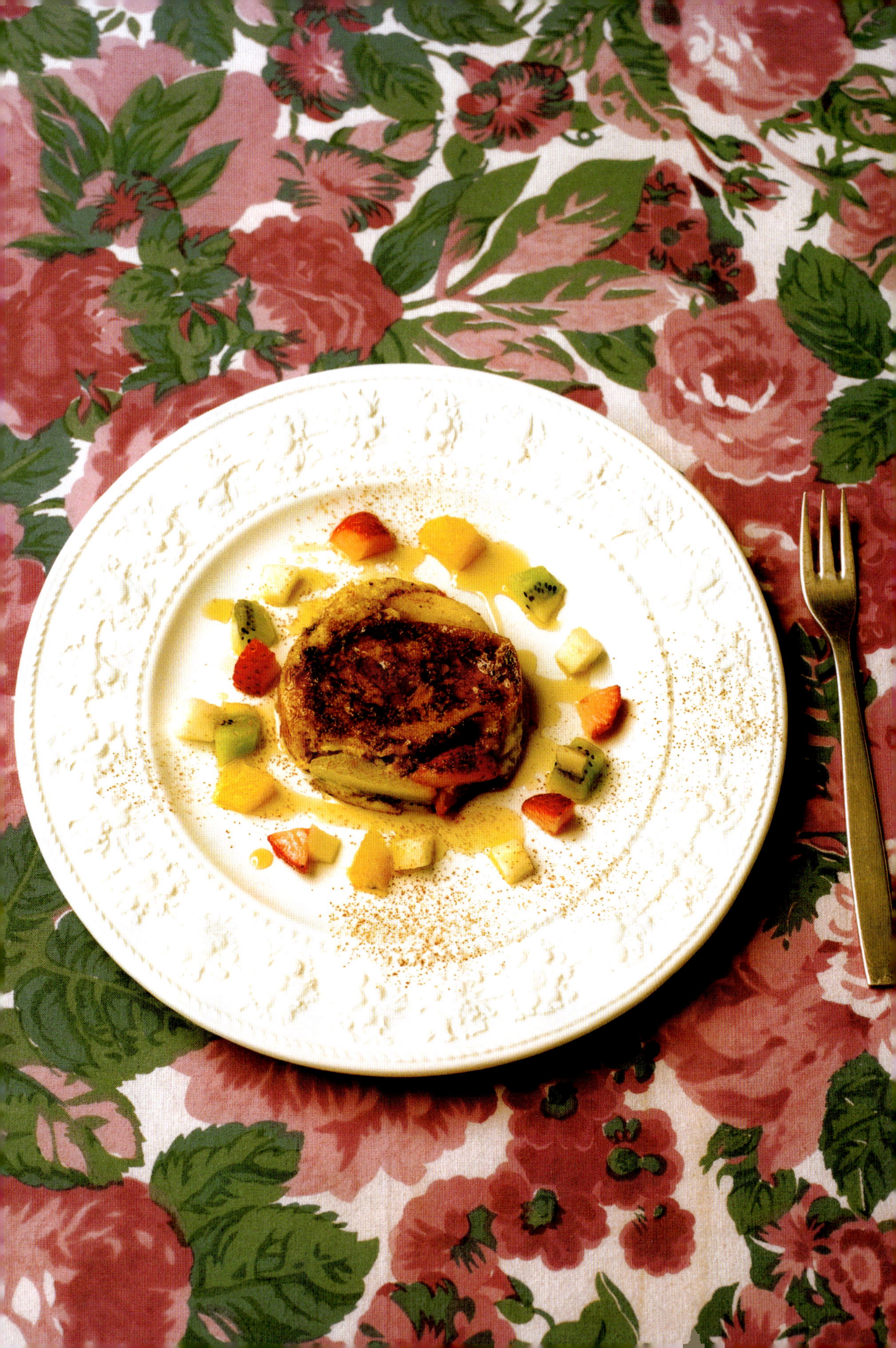

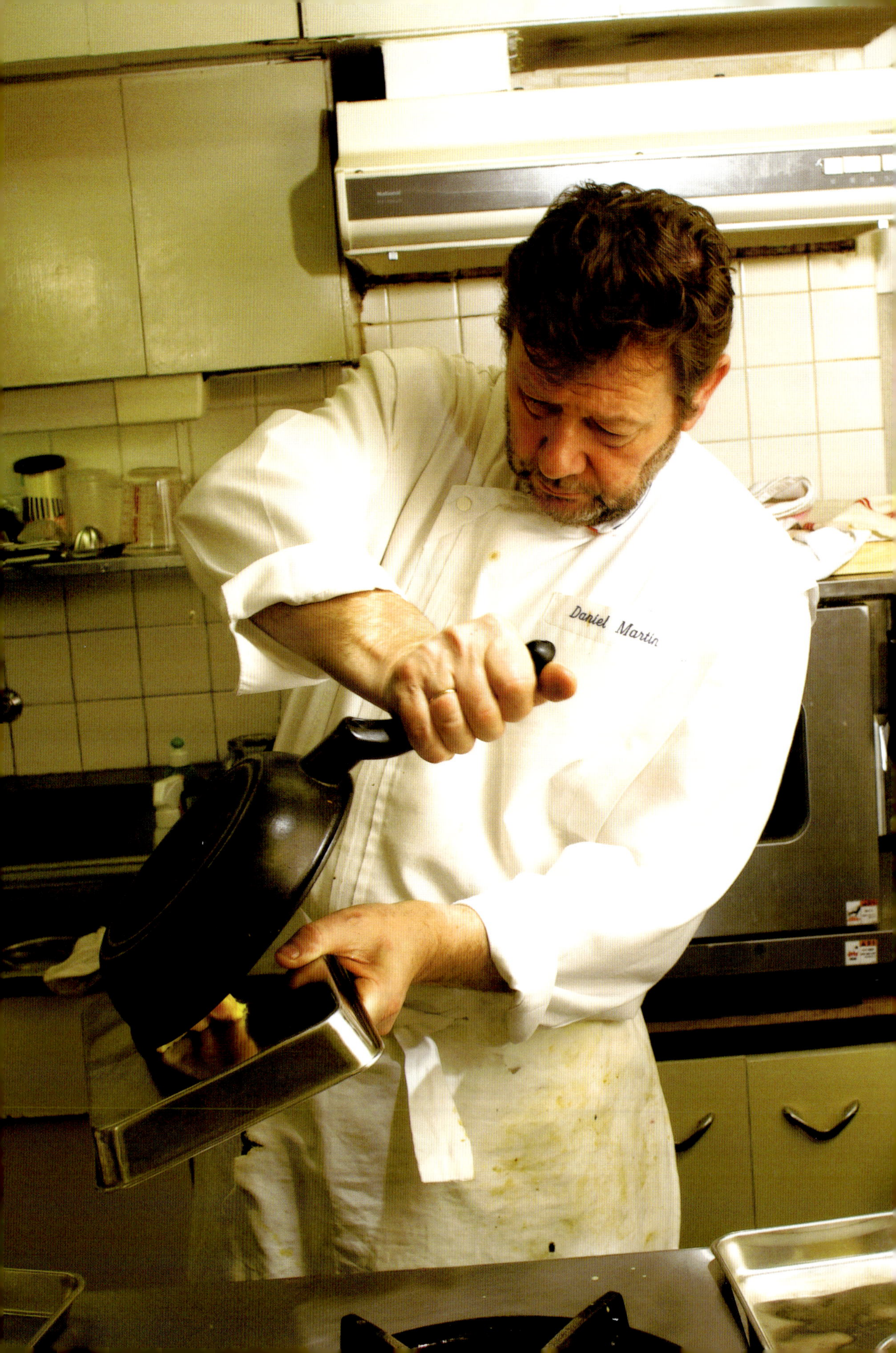
Daniel Martin

## 用語説明

**[カルバドス]** フランスのノルマンディー地方北部が原産の、りんごから作るブランデー（蒸留酒）。食前酒、食後酒にしばしば用いられる。

**[ガレット]** 円形状の平たい菓子。または、そば粉を用いたフランス・ブルターニュ地方の郷土料理。

**[キャラメリゼ]** 砂糖を煮つめてキャラメル状にすること。また、キャラメルの中に食材を加えて風味をつけること。

**[クミン]** セリ科の一年草。カレーのような風味と辛みがあり、カレー粉の原料に用いられる。香辛料としてチーズ、ソーセージ、スープ、シチューなどに用いられることも多い。

**[グラスドビアンド]** フォンドボーをさらに煮つめて作った調味料。より風味のある味つけを楽しむことができる。

**[グランマルニエ]** コニャック、オレンジピールから作るオレンジリキュールの一種。デザートなどの風味づけに用いられる。

**[グレーター]** チーズなどを削るためのおろし器。4面それぞれに異なったおろし金がついており、用途にそって使用できるところが特徴。

**[セルクル]** 側面の枠だけで、底のない調理用の型。ステンレス製で円形のものが多く、この中に直接生地を流し込んで調理することが多い。

**[ソテー]** フランス料理の調理法の一種。バターなどで炒め焼きにすること。

**[デグラセ（デグラッセ）]** 鍋やフライパンに残った煮汁や焼き汁にワインなどを加えて溶かし、ソースを作ること。また、そのうまみを利用して調理すること。

**[煮つめたバルサミコ酢]** バルサミコ酢を煮つめてとろみを出したもの。味つけはもちろん、見た目を整えるためにも、料理の仕上げに使用される。

**[バゲット]** 細長い形をしたフランスパンの一種。外側はかたく、内側はやわらかい。

**[パベ]** 肉や魚の切り身のこと、または1ブロック。

**[バルサミコ酢]** ワインビネガーの一種で、長い熟成期間をかけて作られたもの。色は黒みを帯び、少々とろみがある。

**[ファルシー（ファルシ）]** 詰め物料理のこと。フランスではトマトやしいたけなどが用いられることが多い。

**[ピカタ]** イタリア料理の一種。肉や魚の薄切りに、塩、こしょうなどで下味をつけてから、小麦粉と溶き卵をつけて焼いたもの。パン粉を使用することもある。

**[ビネグレット]** ワインビネガーなど、ビネガー系の調味料と油を混ぜて、塩、こしょうで味つけしたソース。フレンチドレッシング。

**[ビネガー]** 西洋風の酢。ワインビネガーとはワインのアルコール分を酢酸菌で発酵させて作られた酢。ぶどう酢。赤ぶどうから作る「赤ワインビネガー」は煮込み料理やソースに使用され、白ぶどうから作る「白ワインビネガー」はドレッシングなどに使用されることが多い。

**[フォンドボー]** 仔牛の骨や肉をオーブンで軽く焼き、香味野菜などとともに煮出して作るだし汁。

**[フランベ]** 調理の仕上げにラムやブランデーをふりかけ、火をつけてアルコール分を燃やすこと。風味や香りをつけるために行う。

**[フリチュール]** フランス語で、「フライ」を意味する言葉。

**[フリット]** イタリア語で、「フライ」を意味する言葉。

**[ポルト酒]** アルコール度を高めたぶどう酒（ポートワイン）。ポルトガルの港町ポルトから積み出されたことに由来する。通常は甘口で、赤と白がある。

**[ポワレ]** フランス料理の調理法の一種。フライパンで肉、魚、野菜などを焼くこと。または蒸し焼きにすること。

**[ムニエル]** フランス料理の調理法の一種。魚や野菜などに塩、こしょうで下味をつけ、小麦粉をまぶし、バターで両面を焼いたもの。

**[メダイヨン]** 肉などを円形に調理すること。メダル型。

使用した道具

[マジックソルト各種(S&B)]
肉用、魚用、パスタ用、万能タイプの4種類の使い分けができるハーブ入りのスパイス。軽くふりかけるだけで、「お母さん」の作った料理の味が具にしみこんでいく——そんな情景を夢見て私がプロデュースした商品です。料理の味を演出するために、とことんまでこだわった自慢のスパイス！ 今回のレシピで下味などに使用している「塩・こしょう」には、この「マジックソルト」各種を使用しています。

[包丁(鍔屋本店)]
フランスから持参した包丁を取り替えるとき、さまざまなお店に行って吟味しましたが、その中でもこの包丁は格別な輝きを放っていました。昔は刀を作っていたという、合羽橋の由緒正しき鍔屋本店。この包丁の特徴は「やわらかい」ところにあります。かたい包丁の場合、使っていてポキンと折れてしまうことがあるのですが、この包丁はまず壊れない。もちろん今後も愛用するつもりです。

[フライパン(ティファール)]
ティファール独自のフッ素樹脂加工の使いやすさと、長持ちするところが特徴的なフライパン。フランスの老舗メーカーでもあるティファールのフライパンは、本国で料理を学んでいた頃から愛用していました。「取っ手」の取り外しができることもあり、手早い調理が可能です。今回使用したフライパンは全部で3種類ありますが、調理のときに役立つ、いちばん身近な存在です。

あとがき

フライパンのレシピ、いかがでしたか？

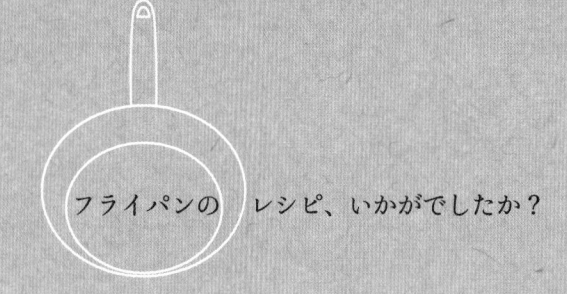

「難しい」「高級」というイメージのあるフランス料理ですが、"フライパン1本"でもこれだけ簡単に、そしてレパートリー豊富に料理が作れることを実感できたのではないでしょうか。ただ、これは決して「手抜き料理」ではなく、すべて私が自信をもってお届けするフランス料理です。あまり聞き慣れないような材料や調味料もあったかもしれませんが、それらの材料をそろえ、自分流のフランス料理を作ったときのよろこびは格別なものだったのではないかと信じております。

日本に来てからすでに20年以上経ちますが、日本のことを知るにつれて、日本料理とフランス料理の相性の良さを強く感じます。深いところで共感しあえる文化があるからでしょう。たとえば、フランス料理でしばしば話題になるソース作りの「複雑さ」は、日本の会席料理の「きめ細かさ」に通じるものを感じます。

しかしフランスとは異なる部分も、もちろんありました。次にお話しするその「違い」こそが、料理人としての私を大きく育ててくれました。最初はとまどいだらけだった日本での「違い」──今では心から感謝しています。

## 私の料理の　アイデンティティー

　そもそも私が日本にやって来たのは「アクシデント」のようなものでした。フランスでは三つ星だったパリの「マキシム」や二つ星の「ホテルリッツ」に勤めてきましたが、マキシムが日本に進出する際に、私にその料理長の話が偶然舞い込んできたのです。歳も若かった私は、ちょうどインターナショナルな視点を身につけたいと意気込んでいたところでした。タイミングの良さもあり、「1年で戻ってくればいい」、そんな軽い気持ちで日本の土を踏んだのです。

　「日本人との仕事はやりやすい」──それはとても新鮮な衝撃でした。フランス人の多くは「日本人は冷たい」という印象を少なからずもっており、コミュニケーションをとることさえできないと誤解している人もいます。しかし、私から見ればまったく違います。私たちがコミュニケーションを求めないだけ。求めればしっかりと応えてくれるのです。

　そして、私の第二の人生が動き出しました。

　シェフとしての私の特徴は、フランス料理の伝統を身につけていること、そして「日本に来たこと」の二つだと思っています。日本に来たことでフランス特有の食材は使えず、日本の食材でいかに料理を表現するかを求められました。その結果、伝統的なフランス料理の様式にのっとった、日本テイストのフランス料理人として自らのアイデンティティーを獲得したのです。

　私がすぐになじめたのは、料理人には珍しい「ある趣味」をもっていたからかもしれません。本国フランスで話題をさらったのも、この趣味があったからでしょう。

## パリで初めて刺身を出した衝撃！

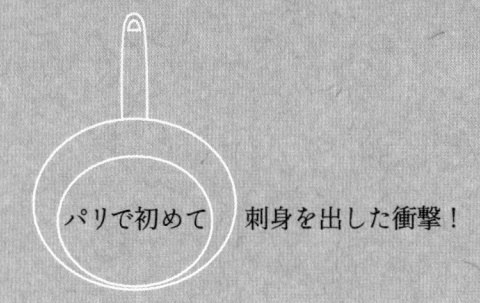

一つ星をいただいた当時、私はパリのレストラン「カルベ」で最年少の料理長を務めていましたが、マスコミのあいだでは「あいつは頭がおかしい……」と言われていました。

どうしてだと思いますか？

それは「生魚」を出していたからです。生の魚を料理として出したのは、フランスでは私が初めてでした。

鮮度を保てないという難しさもあり、当時のフランスでは日本の刺身のように「生の魚」を出すことなどありませんでした。魚には必ず火を通して食べていたのです。しかし生の魚を薄く切ってマリネにして出したところ、口々に「おいしい！」という声があがるではないですか。そこでマスコミの質問に答えて「生魚」の事実を発表したところ、波紋が広がったのです。

今では「生魚を使おうというアイデアはどこから出てきたのか？」とよく聞かれるのですが、それは「釣り」という趣味があったからに他なりません。釣った魚をそのまま船上でさばいて食べていたのです。日本ではごく普通の感覚でしょうが、フランスでは持参した弁当を食べるのが当たり前。友人も「どうしたの？」と笑っていましたが、そのときからずっと生魚の魅力を感じていたのです。

それから20年、今やパリでは、日本のスシと刺身を並んででも食べるようになりました。

## 料理が案内する　しあわせな食卓

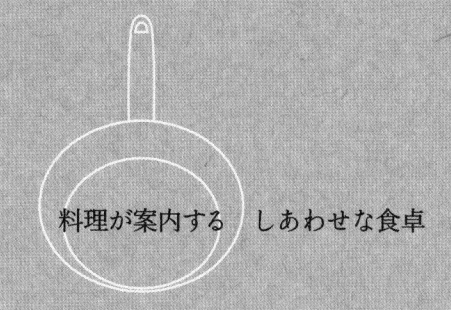

私が一流のホテルやレストランにいながら生魚を出したのは、決して奇をてらったわけでも、話題を作りたかったからでもありません。単純に「自分が食べたいものを多くの人に食べてもらいたい」という料理人としての気持ちに基づいたまでです。

「着飾ったりしない、カジュアルなフランス料理を楽しんでもらいたい」

「フライパン1本でも作れるおいしい料理を味わってもらいたい」

そして「もっと多くの人に気軽にフランス料理に触れてほしい！」。こんな素直な気持ちが、本書でもずっと根底に流れています。心がこもっていない人の料理は、たとえどんな材料を使い、どんなに趣向を凝らしたとしてもおいしくありません。それは「空腹を満たすだけの料理」で、人をしあわせにできる料理ではないでしょう。本書を通じてあなたが少しでも私の「気持ち」に触れてくだされば、これ以上嬉しいことはありません。

冒頭でも述べたように、料理を作るコツは「タイミング」です。そして「シーズン（季節）」を大切にしてほしいと思います。もちろん食べるときはテーブルマナーを気にするより、自分がいちばんおいしく食べられる食べ方をしてください。それでいいのです。そして一緒に食べた人とあなたが、料理という空間の中で同じしあわせを共有してくれることを、私は心から願ってやみません。

ダニエル・マルタン

## Profile

ダニエル・マルタン
Daniel Martin

1952年、フランスのオーベルニュ地方に生まれる。15歳から本格的に料理を学び、フランス各地で腕を磨く。80年には、パリの「マキシム」(当時三つ星)で副料理長を務める。83年、パリの「ホテルリッツ」(二つ星)の副料理長を経て、87年に銀座「マキシム・ド・パリ」の総料理長として来日。MOF(フランス国家最優秀料理人賞)では、ファイナリストになるほどの実力の持ち主。91年には、「ル・コルドン・ブルー東京校」の校長にして主任教授に。96年、「ロティスリー ダニエル・マルタン」をオープンし、02年には麻布十番にてフランス料理教室「エコール ダニエル・マルタン」を開く。06年、麻布台にレストラン「レスパドン」をオープン。「フランス料理をもっと気軽に楽しんでもらいたい」との想いから、三つ星シェフでありながら、「シンプルなフランス料理」を提唱。料理の腕はもちろんのこと、人情味があって人懐っこい性格が、彼の人気を決定的なものにしている。

## Staff

撮影　長嶺輝明
ブックデザイン　若山嘉代子　若山美樹　L'espace
スタイリング　肱岡香子
料理アシスタント　滝田慎子
企画協力　大久保奈美(プレージョ)
レシピ翻訳　伊藤成子
校閲　米原典子
編集　綿谷翔(サンマーク出版)

---

### フライパン1本でできる お手軽フレンチ

2008年 6月20日 初版発行
2020年11月10日 第8刷発行

著　者　ダニエル・マルタン
発行人　植木宣隆
発行所　株式会社サンマーク出版
　　　　東京都新宿区高田馬場2-16-11
　　　　電話 03-5272-3166(代表)

印刷・製本　共同印刷株式会社

定価はカバー、帯に表示してあります。
落丁・乱丁本はお取り替えいたします。
©Daniel Martin, 2008
Printed in Japan
ISBN978-4-7631-9850-1 C0077
ホームページ http://www.sunmark.co.jp